信　徒　必　携

改訂更新版

主の祈り

天にまします我(われ)らの父よ、願わくはみ名を崇(あが)めさせたまえ。
み国を来(きた)らせたまえ。
みこころの天になるごとく地にもなさせたまえ。
我らの日用の糧(かて)を今日も与えたまえ。
我らに罪を犯す者を我らが赦(ゆる)すごとく、我らの罪をも赦したまえ。
我らを試みにあわせず、悪より救い出(いだ)したまえ。
国と力と栄えとは限りなく汝(なんじ)のものなればなり。　アーメン。

十戒（じっかい）

わたしは主、あなたの神、あなたをエジプトの国、奴隷の家から導き出した神である。

(1) あなたには、わたしをおいてほかに神があってはならない。
(2) あなたはいかなる像も造ってはならない。
(3) あなたの神、主の名をみだりに唱（とな）えてはならない。
(4) 安息日（あんそくび）を心に留め、これを聖別せよ。
(5) あなたの父母を敬（うやま）え。
(6) 殺してはならない。
(7) 姦淫（かんいん）してはならない。
(8) 盗んではならない。
(9) 隣人に関して偽証してはならない。
(10) 隣人の家を欲してはならない。

（出エジプト記20章2～17節より）

目次

主の祈り　2
十戒　3
日本基督教団信仰告白　6
生活綱領　8
信仰告白・生活綱領解説　10
信徒……11
第一章　教会生活……13
一　教会生活の原則……13
二　主日（聖日）礼拝……17
1　礼拝の意義……17
2　礼拝への備え……18
3　礼拝……21
4　聖礼典……28
三　諸集会……34
1　祈祷会……34
2　聖書研究会……37
3　入門講座……37
4　その他の集会……38
四　信徒の交わり……39
五　伝道……45
1　伝道の対象……49
2　伝道の方法……53
六　教育……55
七　奉仕……59
八　教会の組織……63
1　教師……65
2　教会総会……67
3　役員会……69
4　教団、教区と各個教会……73
九　教会の財政……74
1　教会の収入……75

2　教会の支出……78

第二章　日常生活……80

一　個人として……80
1　聖書と生活……81
2　祈りの生活……84
3　日常生活……86

二　家庭人として……94
1　キリスト者の家庭……95
2　誕生……103
3　結婚……104
4　病気・死……106
5　葬儀……107
6　家庭の諸行事……109

三　社会人として……112
1　生命尊重……113
2　人権尊重……114
3　自由尊重……114

四　世界市民として……117
1　正義……117
2　平和……118
3　被造世界の共生……118
4　国際化社会のパートナー……119

第三章　教会暦……120

教憲　124
日本基督教団成立の沿革　128
聖書歴史年表　131
あとがき……133
バプテスマ受領証　136
教会員証　137

※本書の聖書引用は『聖書　新共同訳』（日本聖書協会）による。

日本基督教団信仰告白

我らは信じかつ告白す。

旧新約聖書は、神の霊感によりて成り、キリストを証（あかし）し、福音（ふくいん）の真理を示し、教会の拠（よ）るべき唯一（ゆゐいつ）の正典なり。されば聖書は聖霊によりて、神につき、救ひにつきて、全き知識を我らに与ふる神の言（ことば）にして、信仰と生活との誤りなき規範なり。

主イエス・キリストによりて啓示せられ、聖書において証せらるる唯一の神は、父・子・聖霊なる、三位一体（さんみいったい）の神にていましたまふ。御子（みこ）は我ら罪人（つみびと）の救ひのために人と成り、十字架にかかり、ひとたび己（おのれ）を全き犠牲（いけにへ）として神にささげ、我らの贖（あがな）ひとなりたまへり。

神は恵みをもて我らを選び、ただキリストを信ずる信仰により、我らの罪を赦（ゆる）して義としたまふ。この変らざる恵みのうちに、聖霊は我らを潔めて義の果（み）を結ばしめ、その御業（みわざ）を成就（じゃうじゅ）したまふ。

教会は主キリストの体にして、恵みにより召されたる者の集ひなり。教会は公の礼拝を守り、福音を正しく宣べ伝へ、バプテスマと主の晩餐との聖礼典を執り行ひ、愛のわざに励みつつ、主の再び来りたまふを待ち望む。

我らはかく信じ、代々の聖徒と共に、使徒信条を告白す。

我は天地の造り主、全能の父なる神を信ず。我はその独り子、我らの主、イエス・キリストを信ず。主は聖霊によりてやどり、処女マリヤより生れ、ポンテオ・ピラトのもとに苦しみを受け、十字架につけられ、死にて葬られ、陰府にくだり、三日目に死人のうちよりよみがへり、天に昇り、全能の父なる神の右に坐したまへり、かしこより来りて、生ける者と死ねる者とを審きたまはん。我は聖霊を信ず、聖なる公同の教会、聖徒の交はり、罪の赦し、身体のよみがへり、永遠の生命を信ず。

アーメン。

（一九五四年十月二十六日第八回教団総会制定
一九六七年七月六日第四回常議員会においてふりがな確定）

生活綱領

われわれは、神の恵みにより父と子と聖霊との名においてバプテスマをうけ主の体(からだ)なる教会に入れられた者であるから、すべての不義と迷信とをしりぞけ、互に主にある兄弟姉妹の交わりを厚うし、常に神の栄光のあらわれるように祈り、つぎのことを相共につとめる。

一、教会の秩序を守り、その教えと訓練とに従い、聖日礼拝・祈禱会その他の集会を重んじ、聖餐にあずかり、伝道に励み、時と財(たから)と力とをささげて教会の維持発展につくすこと。

二、日日(ひび)聖書に親しみ、常に祈り、敬虔・純潔・節制・勤労の生涯を全うすること。

三、家庭の礼拝を重んじ、家族の和合を尊び、子女を信仰に導き、一家そろって神につかえること。

四、互に人格を重んじ、隣人を愛し、社会の福祉のために労し、キリストの正義と愛とがあまねく世に行われるようにすること。

五、神の御旨に従つて、国家の道義を高め、国際正義の実現をはかり、世界平和の達成を期すること。

願わくは神、われわれを憐み、この志を遂げさせたまわんことを。

アーメン。

（一九五四年十月二十八日第八回教団総会制定）

〔日本基督教団信仰告白・生活綱領解説〕

信仰告白とは、キリストの恵みによって救われた者のうちに起こる喜び、感謝、讃美、頌栄である。この告白は聖霊の導きによって、起こるのであって、他からの強制や圧力によってなされるものではない。

キリストの恵みによって救いに導かれた者は、自分ひとりだけの救いで満足できるものではなく、自分とともに他の人々をも福音の真理にあずからせたいと願う。ここに教会の「交わり」が生まれ、共同の信仰告白となる。

わたしたちはこの信仰告白を告白することによって、日本基督教団に属する教会の信徒となり、一つの幹に連なる枝として信仰生活をいとなむのである。

聖書に「木の良し悪しは、その結ぶ実で分かる」（マタイ12・33）とあるように、信仰生活をいとなむ者には、それぞれ信仰の良い実が期待される。その日常生活のあり方や心がけなどを、端的にあらわしたものが、生活綱領である。そしてそれをさらに具体的に補足し、説明したものがこの『信徒必携』なのである。

わたしたちは主イエス・キリストにあって教会の「交わり」を離れることなく、またこの信仰告白が一片の形式であったり、飾りであったりすることなく、日常生活の内に、これを真実に、心から告白しつつ、生活綱領にあらわされた信仰の良い実を結び、神の栄光をあらわす信徒でありたい。

信徒

「信徒」とは、わたしたちのキリスト教会では、イエス・キリストを信じる者たちを意味している。聖書には、神の召しと導きを受け、使命を与えられて歩む「神の民」について語られているが、これが「信徒」(lay people) であり、キリストの体である教会に属する者のことである。

けれども、「信徒」という言葉は、教会生活の中では、もう一つの意味で用いられている。それは「教師」(牧師・伝道師) に対しての「信徒」である。

「教師」は、イエス・キリストを信じる者たちの中から、特に神の召命 (選ばれ招かれること) を受け、献身し、教会によって任職されて、説教と聖礼典 (洗礼〈バプテスマ〉と聖餐) の執行、および伝道や牧会に専心たずさわる人々である。これに対して「信徒」とは、教師と身分上の違いはないが、職務においては教師とは別の形で、証しと奉仕と交わりを担う人々である。

そこから、「信徒」とは、次の二つの意味を持っているのである。

一　「信徒」は、イエス・キリストによって召された神の民であって、キリストの体である教会を形づくる者である。

二　教会の秩序の中で「教師」と「信徒」とは、それぞれ固有の使命と役割を神から与えられている。したがって、いずれも、主なるキリストの召しと導きのもとに、互いに奉仕し合い、連帯して、教会の生命と使命を担うのである。

この『信徒必携』で「信徒」というのは、教師と共に、教師を助けて、主から与えられた固有の働きを担う人々を指している。

日本基督教団の教規によると、「信徒」というのは、「教会または伝道所に所属し、その会員名簿に登録された者」と規定されている（第一三四条）。教会に所属する者の中には未陪餐（ばいさん）会員（幼児バプテスマを受けたのち、まだ信仰告白をしていないので、聖餐にあずかれない者）も含まれているが、成人したときに信仰告白をして、陪餐会員となることが期待されている。本書は、このような「信徒」のための、信仰と生活の手引きとなることを願って作成されたものである。

第一章　教会生活

一　教会生活の原則

信仰生活は具体的には教会生活である。聖書によると教会を離れた信仰生活はない。「母なる教会」や「教会の外に救いなし」という、古くから言われてきた表現も、教会という言葉を真に聖書的に理解するならば、その本質をよく言いあらわしていると言える。

教会とは、神に召された信徒の集団（ギリシア語では「エクレシア」という）であって、ここで神が人々を悔い改めと信仰に、そして伝道と奉仕へと召してくださる。教会はまた、神の啓示の具体的な場であって、信徒はここでキリストに出会うのである。そしてそれはキリストを主とする天上、地上の信徒の交わりをその本質とする超自然的な集団である。教会の頭（かしら）はキリストであり（エフェソ5・

23)、ここに召された信徒は、その部分なのである（コリントI12・27）。したがって、時代や事情が変わっても、人間がこれを自由につくったり、解体したりすることはできない。

教会はこの世のただ中に立っている。そして他の世俗の団体と同じように、この世の制約の中にあり、さまざまな問題にも遭遇する。しかし見えるこの世の教会の中に、見えない神の教会が信じられるところにこそ、聖書の示す教会の奥義がある。これが使徒信条の告白する「我は聖なる公同の教会を信ず」ということである。信徒は各自が召された具体的な個々の教会において主に仕え、信仰の交わりをし、信仰の基本を共有する他教派、ならびに全世界の教会と連帯関係を保ちながら、同じ主のエクレシアに仕えるのである。

聖書は、信徒に以上のようなキリスト教信仰の本質を示すとともに、その本質に基づく信仰生活を具体的に示している（テモテI4・6）。信仰の細部にわたる教えの中には、時代的色彩の強いものもあるが、その場合でも、その奥にある精神は、いつの時代でも変わらない権威を持っている。それゆえ、代々の教会は信徒のために、聖書を基準として、教会生活の基本原則を示してきた。

何よりもまず、教会はキリストの御言葉の宣教を委託されている。それゆえに教会は、終末の日までこの宣教の業を推し進め、世界教化の使命を果たさなければならない。

宣教の中心は主日（聖日）の公同礼拝である。安息日を守ることは律法の中心に位置するものであった。これは形式的ではなく、真にこれを守る精神が信仰生活を貫いていなければならない。そして説教によって宣べられた御言葉が、見えるしるしとして信徒の心に刻印されるものが、二つの聖礼典である。信徒はこれを尊重しなければならない。また祈りを常にし、そのために、日々聖書を学ぶことを心がけたい。

教会は現実の社会の中にある。そして悪の力と戦っているのだから、これに連なる信徒の生活も、静的なものであってはならない。七日の中の一日だけの信仰生活ではなく、教会に連なるものとして、他の六日間も、御言葉に連なる生活でなければならない。家族、職場、社会の人々に主の恵みを証しし伝道する責任を持つ者として励みたい。

変動する歴史的現実の中で、教会はこの世と文化の限界をさし示す使命を持っている。信徒もそれぞれの与えられた立場で、真剣に労しつつ、主の御言葉に忠実に仕えることを心がけたい。そして各自の生活の中の小さな一つのわざも、主にあっては無駄にならないことを信じたい（コリントI 15・58）。

教会は社交団体でも、同じ趣味で集まったグループでもない。老若男女、たとえ境遇を異にしていても、同じ思い、同じ心となって、互いに慰め、励まし合いつつ信仰の交わりを厚くし、愛のわざに励みたい。また分に応じて宣教のために財を献げ、身をもって奉仕し、具体的に神と人とに仕える者となりたい。

教会は信仰の道場である。ゆりかごから墓場まで、やがて来るところの御国の栄光を望みながら励み続けるのが教会生活である。

二　主日（聖日）礼拝

1　礼拝の意義

信仰生活とは礼拝の生活である。すなわち、神を拝み、全身をささげて神に仕える生活である（ローマ12・1）。その中心にあるのが主日（聖日）礼拝である。

礼拝は、定められた時に神の御前に召し集められて行なうもので、主日（日曜日）に全信徒が一箇所に集まって行なうところに意味がある。その神の御前の集まりこそ教会なのである。そこでこの礼拝を、各自がめいめいに行なう礼拝と区別して「公同礼拝」という（「公同」とは「一般的に共通の、普遍的」の意味）。したがって、家庭や学校で礼拝をしているから教会の礼拝には出席しなくてもよいと考えるのは正しくない。

旧約時代には「安息日を心に留め、これを聖別せよ」（〈十戒〉出エジプト記20・8）とあるように、一週の第七日が安息日として守られていた。しかしキリストが死人の中から復活して弟子たちのもとに来られたのが一週の第一日（日曜日）

であったことから、やがて日曜日は「主の日」と呼ばれるようになり、安息日にとってかわった。キリスト教の主日礼拝はここに由来する。したがって主日礼拝は、キリストの復活を記念する礼拝であるが、単なる過去の記念ではなく、この復活されたキリストが今ここにいます、という確信と喜びをあらわすものであり、さらに、わたしたちもやがて復活してキリストの御前に集められ、神と共に住むのである、という終わりの日の救いを望み見るのである。このように、礼拝はキリストに対する信仰によって神を拝むことである。それゆえ礼拝に出席する者は、それにふさわしい信仰と態度を持たねばならない。

2 礼拝への備え

① 神を拝むのに気まぐれであってはならない。雨が降ろうが風が吹こうが、気が向こうが向くまいが、礼拝は毎日曜日出席するのが本当である。礼拝は、人間の気持ちに従って行なうのでなく、神の御旨（みむね）に従ってなすべきことなのである。したがって、遠方に旅行する場合にはその地の教会を教師に紹介してもらうとか、やむを得ず休む場合はあらかじめ教師に伝えるとか、礼拝出席を大事にする習慣

を身につけたいものである。

②　礼拝に遅刻するなどは神に対して礼を失する。また他の人の礼拝を妨げることともなる。少し早目にそろって着席し、緊張した思いをもって開会を待ってこそ、充実した礼拝が守られるのである。

やむを得ず遅刻した場合は、目立たないように着席し、特に、聖書朗読中や祈祷中は入堂を控えるのが常識である。

③　礼拝の対象は神である。それゆえ何をおいても神に心を向けることが大切である。礼拝が始まってもなお、あいさつを交わしたり用事を続けたりすることは、人間のことにかまけて神を忘れたものと言えよう。礼拝堂に入ったならば、心を神に向け、着席して黙祷するとか聖書を読むなど、礼拝に対する準備を整えるのである。また、礼拝中にあたりを見回したり、私語をしたり、本を読んだりするのは不謹慎である。

④　席は、来た順に前からつめるのが礼儀である。そうすれば、あとから来た人が前へ出てくることによって人々の気を散らすこともなく、またその態度は、

神の御前に出ようとする一生懸命さのあらわれでもある。

⑤　服装は、とくに立派にする必要はないが、神の御前へ出るにふさわしいものでありたい。

⑥　旧約聖書に「わたしの顔を仰ぎ見に来るが、誰がお前たちにこれらのものを求めたか、わたしの庭を踏み荒らす者よ」（イザヤ書1・12）という言葉がある。礼拝は、出席すればよいのではない。礼拝のときだけ口をぬぐって神妙にしていても、ふだん悪いことばかりしていては、かえって神を踏みにじる行為となる。しかしこのように言うと、自分など礼拝には出席できないと考える者もあろう。けれども「神の求めるいけにえは打ち砕かれた霊。打ち砕かれ悔いる心を、神よ、あなたは侮（あなど）られません」（詩編51・19）と歌われているように、自分の罪を認めて恥じ、悔いている心こそ、神に喜んで受け入れてもらえるのである（ルカ18・9―14参照）。そして真の悔い改めは、神の御旨に従おうとする生活の中から生まれてくるものである。このように、日常生活の全体で、礼拝への準備がなされるのである。

3　礼拝

礼拝の順序は、教会により、また同じ教会でも場合によりちがっている。けれども、通常どの礼拝にも、讃美・聖書朗読・説教・祈祷・献金等が含まれ、その順序には深い意味が考えられている。

また、教会では礼拝ごとに、あるいは時を定めて聖礼典が執行される。

讃美は、わたしたちを召してくださった神に対する讃美応答である。わたしたちは神の偉大な力に信頼と賛嘆を、神の豊かな慈愛に平安と感謝をおぼえて深い感動に満たされる。それは時として信仰の告白となり、懺悔（ざんげ）となり、祈願ともなる。このような神に対する気持ちをあらわすのに讃美歌が用いられる。したがって讃美歌は礼拝の気分を盛り上げるための補助手段ではなく、礼拝の気持ちそのものを端的に表現するのである。それゆえ讃美歌は、歌詞をよく見ながらその気持ちで神に向かい、心をこめて歌うのである。

交読は、詩編を主体にして聖書の各所から集めた讃美と祈りであって、司式者と会衆が互いに読み交わす形になっている。会衆の読む部分は声をそろえることが大切で――これは讃美歌を歌う場合も同様であるが――、先走ったり遅れたりしないように、またそこに神に対する精いっぱいの気持ちがあらわれるような声の出し方をしたいものである。

聖書は、わたしたちに対する神の契約書である。その契約の内容はわたしたちの救いに関することで、そこに押されている証印は聖霊である（エフェソ1・13、4・30）。この聖霊によってわたしたちは、この契約書が正真正銘の神の言葉であることを知り、救いを確信するのである。「人はパンだけで生きるものではない。神の口から出る一つ一つの言葉で生きる」（マタイ4・4。申命記8・3参照）と書いてあるように、聖書はわたしたちを人間として真に生きる者とする神の言葉である。それゆえ詩編の作者は神の言葉を蜂蜜になぞらえ（詩編19・11）、エレミヤは、神の言葉を食べて心の喜びと楽しみになったと述べ（エレミヤ書15・16）、新約聖書でも、御言葉は人間を養い育てる霊の乳、また食物であるとしているように（ヘブライ5・12―14、ペトロI2・2）、古来多くの人たちが聖書に親しみ、これを生命の糧としてきた。

さて礼拝は、神の言葉に対する服従の応答であり、讃美・祈り・献金等の応答に先立ち、神の言葉による招きがあり、神の言葉の朗読があり、その説きあかしがなされる。神の言葉とこれに対する応答がくり返されながら礼拝は進められてゆくのであるから、聖書は礼拝の中心を占めると言える。説教も聖書に基づいて語られる。それゆえ聖書が読まれるときは心をこめて耳を傾け、また聖書を開くべきときには必ず開いて見るようにしたい。聖書を早く開くには、聖書の中の各書の順序を覚えてしまうことである。

説教は講演ではない。旧約の預言者が「主なる神はこう言われる」と言って語ったように、主なる神の言葉を取り次ぐのである。とは言え、ここで語る者は人間であるから、その語る言葉がそのまま、だれの耳にも明らかな神の言葉として聞かれるわけではない。それが神の言葉として聞かれるためには、それを人間の言葉としてでなく神の言葉として受け入れる態度が大切である（テサロニケI 2・13）。また聞き流しでなく、聞いた言葉が本当にそのとおりかどうか聖書を調べて検討するということも大切である（使徒17・11—12）。このような熱心な求めに対して聖霊が働き、説教は神の言葉となってわたしたちの内に働くのである（ルカ11・9―13参照）。

神の言葉が語られ、また聞けるということは、実は決して当たり前のことではない。それは、普通ではとてもあり得ないこと――奇跡とも言える出来事――なのである。ローマの信徒への手紙16章25節に「秘められた計画」という言葉があるが、だれの目からも奥深く秘められていた神の言葉が、今覆いを取って示されている――そういうことが起こっているのである。それだけではない。そこでは神の救いの御業が成就しているのである。だから、神の言葉を啓示されたわたしたちは救いを確信するのである。このような救いの御業に参与するのであるから、説教者は真剣に神に祈り求めて聖書を研究している。神の言葉である説教とは、聖書を語ることだからである。それゆえ神の言葉を真実に求めるならば、説教者が祈りと聖書研究に打ち込めるよう、説教者から雑用を取り除き（使徒6・2―4）、さらに説教者のため祈るように求められている（エフェソ6・19―20）。そして自分たちも祈って聖書をよく読むべきである。

説教は一般の会衆に語られるので、ひとりひとりにとっては問題が未解決のまま残る場合もあろう。そのときは、後でおりを見て教師と語り合うことが望ましい。手紙を書くこともよい方法であろう。

祈祷は神との交わりである。それはキリスト者の生活にはなくてならない要素である。祈りは、神の御名をあがめ、ほめたたえ、懺悔し、感謝をささげ、さまざまの願いごとをし、また決意をあらわす。生活の中で起こるあらゆることが祈りによって神に結びつく。こうして神と共に歩むキリスト者の生活が展開される。礼拝の中で行なわれる祈祷は、その諸種の要素を含んでいる。

① 礼拝での祈りは、祈る者の個人的な祈りでなく会衆の祈りを代わってささげるものであるから、わたしたちはただそれを聞いているだけでなく自分の祈りとし、終わりに「アーメン」とはっきり唱和する。会衆がこの祈祷に積極的に参加しているとき、この唱和は力強く会堂に満ちることであろう。

② 通常祈りは、主なる神の名を呼んで祈り、「主イエス・キリストの御名によって祈ります。アーメン」と結ぶ。この結びの言葉はヨハネによる福音書14章

13、14節等から来ている。そこには、キリストの名によって祈るとき必ず聞かれると約束されている。わたしたちはその約束を信じてこのように祈るのである。

③ 主の祈りは、主キリストが教えてくださった祈りの典型である。これによってわたしたちは祈りの何であるかを学び、また祈り方を覚える。それはまず第一に神の栄光のために祈り、次にわたしたちの日常生活のごく卑近なことについて祈ることを教えている。そして非常に簡潔であることが特色である。この祈りを真に学ぶとき、わたしたちは偽善者に陥ることから救われる（マタイ6・5―15、ルカ11・1―4）。

献金については、以下のことをおぼえたい。

① 献金は、すべてをささげてキリストに仕える生活の象徴である。それは礼拝の中の神に対する応答を如実に示すものと言える。したがってそのささげかたは、その人の信仰の象徴とも言えよう。「自分の持ち物を売り払って施しなさい。擦り切れることのない財布を作り、尽きることのない富を天に積みなさい。そこは、盗人も近寄らず、虫も食い荒らさない。あなたがたの富のあるところに、あ

なたがたの心もあるのだ」(ルカ12・33―34)とキリストは教えられたが、心が神のもとにあるようなささげかたをしたいものである。すなわち、生活の残り物でなく、最初に収入のうちどれだけを献金しようと決めて、これだけを収入のあるたびにまず感謝をもって選び分け、これを献金するのである。

② 献金の額については、旧約時代に収穫の十分の一を神にささげたことから(レビ記27・30)、収入の十分の一献金が奨励されているが、このことを基本としながら、「各自、不承不承ではなく、強制されてでもなく、こうしようと心に決めたとおりにしなさい。喜んで与える人を神は愛してくださるからです」(コリントII9・7)という言葉に聞き、「この慈善の業においても豊かな者となりなさい」(同8・7)という勧めに従うのが適切である。

③ 献金はまた教会の交わりである。各個人のささげた財(たから)を教会で共有し、これを教会の必要な活動のために――特に他の教会のために――用いることは、教会の交わりの重要な一面を示している(使徒2・44―45)。そのような献金が教会では早くから主日の礼拝で集められていた(コリントI16・2)。

④　献金は祈りによって聖別して行なうものであるから、その取り扱いも丁重にすべきであることは言うまでもない。献金の祈りも、他のことを長々と祈って、あとで補足的に献金に触れるのでなく、ずばりと献金のことに集中すべきである。

《一例》「主なる神さま。わたしたちは皆あなたのものであり、わたしたちの持てるものもすべてあなたのものです。いまわたしたちの体を生きた供え物としてささげ、そのしるしとして、与えられた財の中から最も良い物を聖別してささげます。どうぞこれを受け入れ、御旨のままにお用いください。アーメン」。

祝禱は単なる閉会の合図ではない。これから出て行くこの世での歩みに、神が共にあることを求める祈りで、この言葉により会衆は神の祝福と力とを受け、この世に派遣されてゆく。福音の証し人としての使命感と勇気とがみなぎる時なのである。

4　聖礼典

聖礼典は、キリストによって定められたもので、「見えない恩寵（おんちょう）の見える徴（しるし）である」と言われ、代々の教会はこれを重んじてきた。わたしたちは、主の恵みをただ耳で聞くだけでなく「味わい知る」（詩編34・9参照）ことが必要なのである。

聖礼典はバプテスマ（洗礼）と聖餐との二つで、按手礼を受けた教師により執行される。バプテスマは信仰生活の初めにおいてただ一度受けるだけであるが、聖餐は信仰生活の続く限り幾度も受ける。また、聖礼典はもっぱら主日礼拝の際に執行されるが、他の時に行なわれることもある。

バプテスマは、わたしたちの罪の体がキリストと共に葬られ、キリストと共によみがえって新しい生命に生きることを象徴する聖礼典で、キリストの体として一体とされていることを意義深く示すものである（ローマ6・1―5）。また水を用いるのは、それによって全身から罪が洗い流されきよめられることを象徴している（使徒22・16、エフェソ5・26、ヘブライ10・22）。わたしたちの罪はキリストが一度だけご自身をささげられたことにより完全に取り除かれているので（ヘブライ9・25―28）、バプテスマは、キリストに対するこの信仰を告白したときに一度だけ受けるのである。キリストに対する信仰は、信仰告白だけでなくこのバプテスマによってあらわされる。それはこの信仰が言葉だけでなく全生活のものであることを象徴する。それゆえキリストを信じた者は、必ず、信仰を告白してバプテスマを受け、教会に加わるのである。

①　求道者は、教団の信仰告白を受け入れ、罪を自覚して悔い改め、イエス・キリストを救い主と信じることができたならば、決心してバプテスマを受け、公にキリスト者となり、教会に連なるものとなることが大切である。

②　キリストも、「正しいことをすべて行うのは、我々にふさわしいことです」と語りバプテスマをお受けになった（マタイ3・15）。キリストを信じてもバプテスマを受けないと、その信仰生活は無責任になりやすい。信仰は、公にすることによって責任感もわき、また教会の交わりの中で守られ前進するものである。

③　バプテスマを受ける人は、教師または役員に申し出て、教団の信仰告白、信仰問答書等について指導を受け、信仰告白を心より自分の信仰告白としてから、教会備え付けのバプテスマ志願書に必要事項を記入して提出し、それ以後のことについてよく指導を受けるべきである。普通、役員会あるいは教会の試問を受けることになっている。この際、教会員としての心得を、この『信徒必携』により

十分に学んでおくとよい。

④　バプテスマは、新生涯への誕生であり、一生に一度のことであるから、心身をきよめ、服装を整えて出席し、悔い改めと感謝の祈りをもって受けるようにしたい。

バプテスマは、信仰の卒業でなく入門である。そして、キリストの体としての大切な使命を持つ行動がこれから始まるのである。良きキリストの信徒となるよう、信仰の道を進みたい。

幼児バプテスマは、両親または保護者が、その子どもを信仰に育て導く責任を言明するとき、幼児に授けられるものである。また聖礼典ではないが、教会によっては幼児に対する前述と同じ願いをもって幼児祝福式（献児式）が行なわれる。

幼児バプテスマを受けた者は、教会において未陪餐(ばいさん)会員となる。両親または保護者は、幼児が成長するとともに自分で信仰を持ち、なるべく早く、公式に信仰を告白するよう、責任をもって導かねばならない。

（幼児バプテスマ志願の手続きは、バプテスマ志願の場合と同じ）

信仰告白式（堅信礼）は、幼児バプテスマを受けた者が成長し、自分で信仰を持ち、公式に信仰告白する礼典である。通常、信仰告白式は教会の礼拝中に行なわれる。

信仰を告白した者は、教会において陪餐会員になる。

信仰告白式を執り行なう教会が在籍教会と異なる場合は、信仰告白志願をする前に、教会籍を移しておく。ただし、幼児バプテスマを行なわない教会で信仰を告白する場合は、両教会がよく連絡しておく必要がある。

（信仰告白志願の手続きは、バプテスマ志願の場合と同じ）

聖餐（せいさん）は、パンとぶどう酒（ぶどう液）とをもって行なう聖礼典である。キリストは、十字架上でその肉を裂き血を流してわたしたちを罪からあがなってくださった。パンはわたしたちのために裂かれたキリストの体、ぶどう酒（ぶどう液）はわたしたちのために流されたキリストの血をあらわすのである。その十字架の死を前にキリストは弟子たちと食事を共にし、ご自分の死を象徴してパンを裂きぶどう酒を分けられた。これが聖餐式の起源である（コリントI 11・23―26）。またキリストは死人の中からよみがえって弟子たちのもとに来られたが、最初そのことに気づかなかった弟子たちも、パンを裂かれる様子でそれと悟った（ルカ24・30—31）。聖餐式は、キリストの死の意味とともに、その復活の証言を伝えている。

このことは、わたしたちの救いをあらわに示している。すなわち、わたしたちの罪は赦され、復活されたキリストがわたしたちと食事を共にし、やがて終わりの日に、わたしたちは神の御前に集められて祝宴を張るのである（イザヤ書25・6—9）。この喜びと希望を示す聖餐式は礼拝の頂点である。またキリストの血肉をあらわすパンとぶどう酒（ぶどう液）を飲食する者は聖霊においてキリストと一体となるのである。聖餐式は終わりの日の望みとこの世における教会の使命を、あの十字架上で死んでよみがえられた主キリストとの関係で示している。そこで、聖餐式を受けるには次の準備が必要である。

① 説教を聞いて受け入れる。

② 自分の罪を悔い、キリストの赦しを請う。そしてキリストの赦しと救いを確信する。もし自分で解決がつかない場合は、教師に打ち明けるとよい。

③　他の人の罪を赦す（マタイ6・14―15、18・21―35）。

④　キリストの和解の業が広く実現されることを求めて祈る――それは宣教の祈りである――。

三　諸集会

1　祈祷会

教会では主日礼拝の他に種々の集会が守られている。特に毎週、日を定めて守っている祈祷会は大切な集会である。

キリスト教会の誕生が祈祷と不可分の関係にあることは、聖書によって明らかである。

「心を合わせて熱心に祈っていた」弟子たちの一団に、聖霊がくだり教会が誕生した（使徒1・14、2章）。この点からして祈祷会がどんなに大切であるかが知られよう。

近世における福音主義教会の発展と信仰復興運動は、聖書に聞き、祈祷に励み、聖霊に動かされた人々の信仰的決断によると言ってよい。祈祷の手は神の御手を動かすものである。昔、モーセの手が海にさし伸ばされて、海の水は退き、イスラエル人はエジプト脱出に成功した（出エジプト記14・21）。そのように教会のあらゆる伝道計画や、わたしたちの信仰生活に力を与え、神が共にいますことを確信させられるのは祈祷によるのである。出エジプト記14章のエジプト脱出に続く、15章の勝利の歌は祈祷の力を示すものと言えよう。

住宅事情の変化によって信徒の住居が郊外に移される傾向にあり、交通機関等の事情も加わって、教会の諸集会に出席しにくいという状況が起こっている。しかし、出席者が少ないからといって集会をやめることは正しくない。したがって集会を守る方法について、実情に即した創意工夫がなされねばならない。

祈祷会の守り方について一例をあげてみよう。

① 出勤前に教会に集まって早天祈祷会を守る。

② 地域の諸教会の信徒が集まって朝食を共にする朝食祈祷会を守る。

③　平日の日中に祈祷会を守る。

④　教会の祈祷会と日時を合わせ、地域別に信徒の家庭で、あるいは同じ地域の数家族が順番制で祈祷会を守る。時おり教師を迎える、等である。

これらはほんの一例に過ぎないが、在来の習慣にこだわることなく、新しい方法を見いだして祈祷につとめることが望まれる。

教会の祈祷会は個人的な祈りもよいが、公の祈祷会であるから、祈りの内容も公のものに向けるようにありたい。

教師のために祈り、教会の諸団体や教会が行なっている諸事業、また教会員で病気や試練と戦っている人々のため、さらに国の内外に起こっている諸問題のために、執り成しの祈りをささげるようにしたい。

さらに心得たいことは、教会の祈祷会では個人の祈祷というより、会衆と共に心を合わせて祈るのであるから、会衆によく聞きとれるよう発声に注意し、会衆も「アーメン」と共に和することができるように祈ることである。祈祷は限られた時間内で出席者が祈るのであるから、間を置かず次々と祈ることが望ましい。

また恵みの証しのある人は、敬虔（けいけん）な思いをもって短く証しすることによって、祈祷会を力に満ちたものとするであろう。

特に司会や感話など依頼されたときは、積極的に引き受け、よく準備をしてその責任を果たすようにしたい。

2　聖書研究会

教団の信仰告白に「聖書は……全き知識を我らに与うる神の言（ことば）にして、信仰と生活との誤りなき規範なり」とあるように、聖書を神の言として正しく理解することは、最も大切なことである。それゆえ、聖書研究は教師の指導を受け、信仰生活が聖書によって正されるように、聖書に聞く態度をもって研究することを忘れてはならない。教会によっては祈祷会の前半に聖書研究を行なっているところもある。また聖書を素読する集まりを持つことも有益である。

3　入門講座

毎週主日礼拝の前後または他の曜日に入門講座を開き、求道者の指導を行なっている教会が少なくない。信徒も求道者といっしょに入門講座に出席すれば、受洗までには求道者と親しくなることができ、信仰の友として交わりを深めることもできるから、ぜひとも出席するようにしたい。

4　その他の集会

都会の教会が地方の教会に比べて、なじみにくいと言われてきたが、まだまだ改善されていないようである。しかし今日は、信徒や求道者が流動している時代であるから、地方と都市とを問わず、新しく入ってくる信徒・求道者を受け入れるために、主日礼拝をはじめ諸集会のプログラムについて研究、工夫する必要がある。

たとえば、主日礼拝には他の土地から転居してきた信徒・求道者が出席していることもあるから、礼拝が終わって新来会者を会衆に紹介するようにしたい。できれば礼拝に続く集会を計画し、新来会者を迎えて話し合いの時を持ちたい。また主日礼拝後、愛餐(あいさん)会を開き交わりを深めたい。

四　信徒の交わり

使徒信条に「聖徒の交わりを信ず」と告白しているが、キリストによって罪を赦(ゆる)され、聖別された主の僕(しもべ)たちの霊的な交わりを信ずるところに教会がある。教会に連なる信徒は、父と子と聖霊の三位一体なる神への信仰によって、たとえ未知の人でも、また外国に住む人でも、あるいは生きている人と死んだ人との間でも、霊の交わりがあることを信じる。

しかし具体的には、何よりもまず各自が召された個々の教会での信徒間の交わりが、その中心となることは言うまでもない。

交わり（ギリシア語で「コイノニア」という）は、キリストを中心にした信徒の共同生活である。信仰によらない、自然的共同体の交わりは、人間相互の欲望が基礎となっていることが多く、結局は自分のために他を愛することになりかねないが、教会にある霊的共同体の交わりは、主にある愛と真実とが基礎となっている。つまりわたしと他者との間に立っているキリストを媒介として交わることであって、ここに本当の交わり、和合があるのである。

信徒間の交わりを考える場合に、まず信徒は神とキリストとの交わりに入ったこと、つまり神とわたしとの交わりを深めることを忘れてはならない。この関係を基礎としてはじめてわたしたちは自主のものとなり、隣人と交わることができるのである。この点から出発しなければ、交わりは単なる社交と同じになってしまい、世俗化して生命を失ってしまう。

教会はキリストの体であり、信徒はその部分である（コリントⅠ12・27）。イエス・キリストは「わたしはぶどうの木、あなたがたはその枝である。人がわたしにつながっており、わたしもその人につながっていれば、その人は豊かに実を結ぶ」（ヨハネ15・5）と教えられた。教会はキリストを中心とする生きた交わりであり、信徒は幹であり頭（かしら）であるキリストに連なってこそ、生命を受け、尊い実を結ぶことを教えられたのである。枝は幹を離れては存在できない。

1　信徒の交わりは、教会においてキリストを中心とした交わりであり、まずそれは、教会の公同礼拝や聖餐にあずかることである。たとえ互いに言葉を交わさなくても、主の前に同じ心、同じ思いとなって、御言葉に聞き、讃美し、福音の真理の前にアーメンと唱和することによって、交わりが成立している。主日礼拝に出席することと、聖餐にあずかることは交わりの中心である。これがなければ幹から離れた枝のように枯れてしまう。

2 「二人または三人がわたしの名によって集まるところには、わたしもその中にいるのである」（マタイ18・20）とキリストは言われたが、進んで教会の諸集会に参加したい。祈祷会、聖書研究会、また地域的集会としての組会（あるいは、最寄会、地区会）、家庭集会などに出席することは、信徒の交わりを信ずる者として必要である。交わりの中に積極的に参加することによって、多くの恵みを与えられるものである。

教会はこの世の団体と異なり、あらゆる境遇の人、老若男女がキリストを頭として召された集団である。イエス・キリストは、教会は愛による交わりであるから、この事実を相互の愛の実行によって証ししなさいと教えられた（ヨハネ15・12―17）。信仰は信徒相互間の交わりにより、助け合いと奉仕によって生かされてゆくのである。

3　教会内には壮年会、婦人会、青年会、その他のグループがある。

①　壮年会は教会によって名称は異なるが、壮年、年配者の会である。この会の会員の中には社会の最先端にあって責任を担い、その分野の中心的な役割を果たしている人もおり、教会でもそれを生かして奉仕することが期待される。ただこの会員は世間的な経験を積み、良識が養われ、物事の判断が実際的であるだけに、信仰的には情熱がうすくなることもある。成人も、常に志を新たにして、信仰の道に励むとともに、教会のために労を負いたい。

②　婦人会は教会内の最も大きなグループである場合が多い。その会員が、多様な賜物(たまもの)や立場を生かしつつ、学びや奉仕を担うことによって、婦人会は大きな働きをすることができる。時には講演会や講習会を開くこともよい。聖書を深く学び信仰を養い、伝道や奉仕の面にも教会の大きな力となるように心がけたい。

③　青年会は人生の成長期を過ごし、明日を築く人々の群れである。近年各教会とも青年の数が減少しているが、たとえ少人数であっても信仰の仲間として交

わりを深め、常に信仰に燃え、学ぶこと、祈ること、働くことに積極的でありたい。教会内の諸奉仕にはできるだけ参加し、同年代の友人を教会に誘うようにしたい。また、この年齢層から伝道献身者が起こされることが願わしい。さらに各個教会を越えた青年会員同士の交流の時を持つことも有益である。

以上のような会に加入して積極的に交わりの中に入るべきである。会の持ち方などに批判があることもあろう。そのときは建徳的に意見を言い、祈りをもって臨めば会合も充実したものとなる。外側から批判するだけで中に入らないような態度は避けたい。進んで参加し、愛と真実とをもってのぞめば、必ず自他ともに恵みの収穫を与えられる。ことに会に出席した求道者には伝道的配慮を忘れてはならない。

教会内の諸グループの会合に熱心なあまり、主日礼拝の出席を怠って、これらの会合にだけ出席するのは健全でない。また教師の指導を常に受けることが肝要（かんよう）であり、教師が出席しないときは、会の様子を報告するようにしたい。

教会では毎年修養会や協議会、信仰懇談会などが行なわれるが、つとめてこれらの会合にも参加して常に信仰の成長と交わりを深めることが願わしい。

この他、各グループの相互の連絡会も必要である。信徒は諸集会の後に、他の会員や求道者への配慮をして、週日は家庭を訪問したり、通信をするなどのあたたかい牧会的配慮と執り成しの祈りを忘れないようにしたい。

4　教会の諸集会における交わりを中心として、そこから個人と個人、家庭と家庭が結びつけられ、互いに親しみ、互いに助け合う生活を続けたい。パウロは、信徒は互いにキリストの体の部分であるから、「……兄弟愛をもって互いに愛し、尊敬をもって互いに相手を優れた者と思いなさい。……聖なる者たちの貧しさを自分のものとして彼らを助け、……喜ぶ人と共に喜び、泣く人と共に泣きなさい」（ローマ12・10―15）と勧告している。とりわけ信徒の霊性の問題については、喜びと苦しみを共にし（コリントⅠ12・26）、進んで一身上のことや、家庭の問題にいたるまで力になることができるなら幸いである。

ヨハネは行ないと真実をもって愛し合うことをすすめているが（ヨハネⅠ3・18）、親しみが度を越えて礼儀を失したり、談話が卑俗に流れたりすることは慎むべきことである。また愛と同情に名を借りて、金銭やその他物質的なことで他に迷惑をかけることも戒むべきことである。信仰の友に対しては、寛大でありたいが寛大過ぎてはいけない。信徒は何でも唯々諾々（いいだくだく）として受け、いわゆるお人よしである必要はない。

また信徒は個人的にはこの世においていかに地位がありこの世的に偉い人と言われている人でも、神の前には一個の罪人に過ぎないのであって、人間讃美は危険である。またいつのまにか気の合った者同士が、小さなグループをつくっていることなどは、教会が大きく伸びることをはばむことが多い。

五　伝道

キリスト者にとって伝道とは、「全世界に行って、すべての造られたものに福音を宣べ伝えなさい」（マルコ16・15）という復活の主の至上命令によるものであり、しかもそれは、自分自身の中に現在起こっている事実、すなわち、キリストに罪を赦され、神の御前に永遠に生きる者とされていることを宣べ伝え、証しすることである。それゆえ伝道は、単に聖書知識や神学を伝えるのではなく、十字架に死に、復活されて天におられる御子イエス・キリストの事実を証言するのである。すなわち、聖霊によって、キリストの十字架と復活を確信し、その事実を証言せずにはおられない必然にせまられて行なうのが伝道である。使徒パウロが「そうせずにはいられないことだからです。福音を告げ知らせないなら、わたしは不幸なのです」（コリントⅠ9・16）と告白しているのもそのためである。また聖霊を受けた十二使徒たちが立ち上がって伝道を始めたのも、同じ理由による（使徒2・14以下）。迫害の激しかった初代教会において、迫害のために難を避け、散らされた信徒たちはその行く地において生けるキリストを証言し、伝道に励んだのである（使徒8・4ほか）。キリスト者にとって伝道することは光栄であり、また喜びである。

① 迫害のために散らされた初代教会の信徒たちは、その行くところにおいて福音を宣べ伝えた。もちろん集会のための公の建物や定まった場所はないから、

かれらは自分の家庭を開放して礼拝を守ったようである。

現代は、信徒の移動が頻繁である。その結果、新しい土地に転住したが、付近に教会がないため礼拝が守れないとか、職場の事情で思うように教会に出られないというようなことが生じている。現代の生活は信徒を教会生活から遠ざけつつある。この現実に立ってわたしたちキリスト者は、各地に組会や家庭集会、あるいは職場の聖書研究会等をつくり、近い者が共に集まって、聖書研究、祈祷、交わり、伝道に励むようにしなければならない。これら諸集会が、その地方にある諸教会と常時連絡をとり、教会の教師の指導を受けることは必要なことである。

このような実情から信徒の伝道活動に期待するところは大きい。伝道は神がわたしたち自身に与えておられる恵みの賜物(たまもの)を証しすることであるから、話は上手にできなくても、信仰と祈りをもって準備し証しするならば、立派に伝道の責任は果たせるのである。伝道のため奉仕をする場合に、常に怠ってならないのは、わたしたちキリスト者は、キリストの体である教会の部分として伝道するのであるから、自分自身の教会生活が不徹底なことにならぬよう留意することである。

エフェソの信徒への手紙4章12節に使徒パウロが「こうして、聖なる者たちは奉仕の業に適した者とされ、キリストの体を造り上げてゆき」と記しているように、教師の指導を受けて伝道活動に奉仕するようにしたい。この意味でキリスト者はキリストの体である教会を建てるために、伝道に遣わされているのである。

② キリスト者は各自ことなる賜物を与えられているのであって、教会に教師と信徒が置かれているのも、神より与えられている賜物の相違によるのである。それゆえ信徒は教師と共に、その賜物を伝道のために用いなければならない。使徒パウロは「賜物にはいろいろありますが、それをお与えになるのは同じ霊です。務めにはいろいろありますが、それをお与えになるのは同じ主です。働きにはいろいろありますが、すべての場合にすべてのことをなさるのは同じ神です」（コリントⅠ12・4―6）と言っている。わたしたち各自の賜物はキリストによって与えられたものである。それゆえわたしたちはキリストの体の部分である自覚に立って、教師と信徒はおのおのその秩序と職分を保ちながら伝道に励まねばならない。伝道することは自分自身も恵まれることであるから、伝道意欲の盛んなキリ

スト信徒であることは、教会のためだけでなく、自分自身の成長のためにも有益である。

③　教会の諸集会に出席することは、それ自体無言の伝道となる。いろいろ困難な事情はあるだろうが、それでもなんとか都合をつけて出席するように努力することが望ましい。はじめての来会者があった場合、教会の集会ががらんとしているようでは、せっかくの来会者に失望感を与えることになるであろう。ひとりが集まって大勢になることだから、自分ひとりぐらいなどと考えないで出席するならば、救霊のためすばらしい力となることは明らかである。

1　伝道の対象

伝道の対象について考えれば、個人伝道・家族伝道・職域伝道・農漁村伝道・青少年伝道・大衆伝道・病床伝道・刑務所伝道その他をあげることができよう。このように伝道の対象はいくらでもあげることができるが、これらの対象は相互に密接な関係を持っているので、伝道の問題を考える場合、その対象は常に総合的な立場から考えることが大切である。

① 主イエスをはじめ使徒たちがそうであったように、キリスト者であることは同時に伝道者である。シカルの井戸のそばでひとりの女性を対象に伝道されたイエスは、ベタニア村のマリアの家族に対しても伝道され、またイエスはガリラヤ湖周辺のむらがる大衆の前に立っても伝道された（ヨハネ4章、ルカ10・38―42、マタイ5―7章、マルコ4章ほか）。使徒たちもまた、聖霊降臨日の大衆伝道をはじめ、「美しい門」における足の不自由な人に対する伝道、百人隊長コルネリウスの家庭における伝道、また使徒パウロと弟子シラスによるフィリピの獄舎内における伝道、アテネのアレオパゴスにおける説教、またローマに護送される途中、暴風の海に漂う船上における伝道等（使徒2・14―47、3・1―10、10章、16・19―34、17・16―34、27章）、行く先々あらゆる対象に対して伝道した。今日においても伝道の門戸はいたるところに開かれており、伝道に奉仕する働き人を必要としているのである。

目をあげて伝道の畑を見ると、個人、家族、職域、青少年、高齢者、農漁村、大衆、病床、刑務所等の伝道の門戸は広く開かれていることを知るであろう。伝道は教師だけのものと考えることはできないのであって、教師も信徒も共に伝道の第一線に立たねば、その責任を果たせないところに至っている。使徒言行録7、8章のステファノもフィリポも共に信徒であったことを思えば、信徒の伝道責任は大きいといえよう。

② 伝道は聖霊の働きなしにできる業ではない。信仰と祈りをもって自己の霊的生活を常に充実し整えることが大切である。そして伝道の対象のため、執り成しの祈りをささげるようにつとめたい。

周囲の人たちはキリスト者の生活態度を注意深く見ているものであるから、言葉づかいや行動についても、「福音にふさわしい生活を送る」ように心がけたい（フィリピ1・27）。また家族のひとりとして生活している場合は、家族から信頼されるような生活態度が大切で、信頼の空気が満ちてくれば自然、子どもたちも、教会学校に進んで出席するようになり、信仰告白をし受洗を決心するに至るであろう。

また信徒の多くは家庭にいるときを除くと、職場にいる時間が長い。職場は同僚との共同生活の場でもあるから、信徒は常に同僚と協調し好感を持たれるようにし、談話の機会もつとめて持つようにしたい。仕事の面においても責任をもって働き、勤務についても信用されるようになりたい。好感を持たれるようになれば、休憩の時間などに聖書を読みたいという希望も出て、職場聖書研究会が生まれることにもなろう。キリスト者はひとりの人間として、人格的にも心の豊かな、愛にあふれる生活を営みたいものである。

教区・分区（支区・地区）では、伝道に関する諸種の講座を開設したり、教会では伝道講演会が開かれたりする。このような機会に同僚や家族、知人を熱心に誘うようにしたい。

また病床にある人々を訪問し、キリストによる救いの恵みを語り、肉体のいやしのため、魂の救いのため祈ることは伝道のよい機会である。ただし長居することは禁物で、それより足しげく慰問する方が喜ばれる。

また一般からは忘れられがちな、刑務所に収容されている受刑者をも訪問したい。ただし刑務所は国の施設であって、施設長の許可なしに訪問することはできないので、教会の教師や信徒で教誨師（きょうかいし）、篤志（とくし）面接委員を委嘱（いしょく）されている人たちや、教区の責任者と相談して行なうと有効である（マタイ25・34―45参照）。

2 伝道の方法

伝道について考える場合、その方法について研究し工夫することは当然必要なことである。プロテスタント宣教師たちによってわが国に福音が伝えられて一六〇年を経過した今日、最も必要とされていることは、信徒による伝道活動の充実である。現代は時代に即した伝道方法を活用することを忘れてはならない。方法として考えられることは、訪問伝道、文書伝道、街頭伝道、メディア伝道、その他であろう。

① 教会の主日礼拝、伝道講演会等にはじめて出席した人々の住所氏名を記録し、信徒が手わけして訪問することは大切である。ただし訪問した場合は必ず教師に状況を報告し、教師の意向を聞くようにしたい。訪問するときは訪問された方が迷惑に感じないように、十分配慮するようにしたい。事情によっては訪問されると困る場合もあるから、そのときは週報や伝道新聞等を郵送したりすること

もよい方法である。また訪問を希望する人もあるのだから、そのときは訪問して聖書を読み、祈ることはよいことである。卑俗な世間話等に時をついやすことがないように特に注意が必要である。信徒は訪問のため時間と労苦をささげたい。

また教会の集会に欠席がちな信徒があれば、必ずと言ってよいほど問題があるのであるから、すみやかに訪問し、その事情を教師に連絡するようにしたい。
② 今日は道路交通法の規則もあって、街頭伝道をすることは困難な場合が多いが、道ゆく人々に福音を語ることは、ゆるされる限り行ないたい。
現代の伝道の一つとして、ラジオ、テレビ、インターネット等を利用するメディア伝道がある。これは多くの費用がかかるが、大衆に福音を伝えるためには非常に有力である。

また映画による伝道を教会の伝道集会に利用するのもよい。録画・録音したものを家庭集会・組会・病床伝道等に利用するメディア伝道等は、信徒が伝道活動をする場合に有効である。

六　教育

教会の働きには福音を宣べ伝えること、人々を教えること、人々に奉仕すること、すなわち、伝道、教育、奉仕の三つの面がある。この三つは独立した分野に立って、互いに他を排斥（はいせき）し合うというようなものではなく、その機能を発揮し、協力して教会の使命を果たしていくものである。したがって、教会教育という場合、これは伝道の働きでもあり、奉仕の働きでもある。しかもなお、教会教育という分野は一つの固有な機能を持っている。

教会教育は、「教会のわざ」であるということをまず明確にしておく必要がある。教会には多くの人々が集まる。年齢的には幼児から老年まで、領域の上ではあらゆる職業の人々が集まる。年齢や職業によって教会に来る人々が妨げられるということは絶対にあり得ない。しかし、それだけに、教会は綿密な教育の体制を全教会をあげて持つ必要がある。幼児に対しては幼児の、青少年に対しては青少年の、女性に対しては女性の、高齢者に対しては高齢者の、というように。また、それぞれの職業に応じて考慮しなければならない人間の問題も限りなく多い。教会には、「キリストがあなたがたの内に形づくられるまで、わたしは、もう一度あなたがたを産もうと苦しんでいます」（ガラテヤ4・19）という聖書の言葉のように、全年齢、全領域に対して、教育的配慮をもった働きを続けてゆくことが要求されている。これは神よりの要求である。したがって、この責任を果たすことは教会全体の責任であり、全信徒の責任である。

ひとりの人が教会に属した瞬間から、その人には教会教育に対する責任が生まれる。それは、教会のわざである教会教育を支えなければならない責任である。では、信徒はどのようにしてこの責任を遂行したらよいであろうか。その例として、教会学校（CS・子どもの教会）の働きを考えてみよう。

日本の諸教会はほとんど教会学校を持っている。これは「学校」と言われるものの、いわゆる公教育の学校のことではない。しかし、ここには大きな特色がある。それは、信徒の献身的奉仕による教育のわざであるという点である。教会学校の教師たちは、ひたすらその信仰に支えられてこの奉仕のわざに励んでいる。

それは「わたしは植え、アポロは水を注いだ。しかし、成長させてくださったのは神です」（コリントⅠ3・6）という言葉のとおりである。これに対して最も必要なことは教会学校教師に対する全信徒の理解と支えと協力である。以前は「子ども好きの者」が趣味のように教師をやるものだといった考えもあったが、これは、教会の使命に対する不明確な認識の結果からであった。したがって、信徒はできるだけ多く教会学校の教師となって働くようにつとめ、いろいろな事情からそれができない場合も、教会学校のために「自分にできることは何か」を考えたい。そしてみずから進んで教会学校の教師のわざを引き受けるようにすべきである。今日、子どもの環境の変化、学校形態での教育の問題等から、教会学校のあり方が問い直されている。そこで、「子どもの教会」、「子どもの礼拝」として、新しい教会教育のあり方を試みている教会もある。

教会学校という制度だけでなく、日常の生活の中で信徒が教育的に配慮しなければならないことは限りなく多い。たとえば家庭教育の問題がある。親が熱心な信徒であるにもかかわらず、その子どもがまったく反信仰的である例は少なくない。親として、家族ひとりびとりのために、祈りつつ、働きかけたいものである。教会教育は信徒各人の日常生活のありかたにかかっているので、家庭においてもその子どもがいつも信仰による自由な雰囲気の中で喜んで教会学校に出席し、教会に幼稚園がある場合は教会幼稚園に行くような配慮を怠ってはならない。特に幼児期の教会教育は重要である。また、キリスト教学校に子どもを送り、青少年期の信仰の成長を図ることも大切である。

教会のわざとしての教会教育の推進者は伝道や奉仕のわざにおけると同じように、「信徒」である。正しい自覚に立って、このわざに生涯をかけるためには結局のところ、「信徒」としての基本を身につけ、これを忍耐強く生涯をかけて前進させることにかかってくるであろう。これを具体的に列挙すると、

① 教会のわざは長期間をかける継続的なわざであることを自覚し、途中で放棄しないこと。

② 教会の礼拝を守り、聖書に深く聞き、祈りをささげ、常に自己にゆだねられた対象に愛を具体化するよう教育的な方法や技術の習得のために努力すること。

③　真実な教師であるためには、いつもキリストにある自由の保持者であることなどである。

七　奉仕

イエス・キリストは「人の子は、仕えられるためではなく仕えるために、また、多くの人の身代金（みのしろきん）として自分の命を献げるために来た」（マルコ10・45）と言って弟子たちを戒められている。信徒にとって奉仕ということは単に何かの有効な働きをするというだけではなく、イエス・キリストの道を歩むことに他ならない。

奉仕は「仕えること」であり、「仕える」ということはゆだねられたものを管理することでもある。奉仕にあたって信徒が最も気を配らなければならないことは、

①　自分にゆだねられていることは何か。

②　その、ゆだねられたものをどのように管理してゆくか。

という二つのことであろう。

キリスト者にゆだねられているものは「福音」であり、これをひとりでも多くの人に伝えることがキリスト者の使命である。したがって信徒の生活は「福音を伝える」という一事に焦点が合わせられていなければならない。しかし、「福音を伝える」ことには、言葉による面と、行動による面とがある。この二面のいずれにも奉仕ということが関係する。それだけに、信徒は奉仕者としての自己をいつも鍛えておかねばならない。いい加減なことで妥協したり、焦点のぼやけた信仰生活のままでは奉仕者とはなり得ない。よい管理者であるということは、よい信仰者であるということである。

信徒の奉仕は普通には、「教会内の奉仕」と「社会への奉仕」というように考えられる。教会内での奉仕というのは教会の組織の中で、自分の賜物(たまもの)を生かして働くことであって、その奉仕の種類は数限りなく多い。たとえば教会では、伝道に関するもの、教育に関するもの、総務に関するもの、財務に関するものといった部門があり、それぞれの働きを進めている。信徒はこれらのどこかに着実な奉仕者として身を置くことが望ましい。また、教会はすべての人が働く場を作るようにつとめなければならない。グループ会、諸委員会なども奉仕を組織化した姿である。しかし、このような組織の中で役割を与えられない場合でも、教会での奉仕の場は他にもある。清潔、整頓のために気を配ることも、スリッパをそろえることも、信徒にとっては奉仕の機会である。そして、すべての機会に、このような小さなわざも、「福音を隣人に伝えるため」に用いられているという自覚を持つべきである。「わたしの兄弟であるこの最も小さい者の一人にしたのは、わたしにしてくれたことなのである」(マタイ25・40)という言葉を忘れてはならない。

信徒の社会奉仕は古くから多くの影響を与えてきた。特に日本での「社会事業」と言われるものの基礎はほとんどすべてキリスト信徒によって始められた観がある。保育園、託児所、病院、診療所、セツルメント、高齢者施設、農漁村センター、更生保護、災害救援活動、募金活動など、いまもその活動は盛んに行なわれている。また、キリスト教学校の活動も、大きな社会奉仕のわざとなっている。

しかし今日では、これらの奉仕の場に働く信徒の欠乏が訴えられている現状がある。キリスト教の精神で建てられた施設や学校が次第に世俗の経営体となんら変わるところのないものとなってしまう危険がある。この現実は、信徒が新しく社会奉仕に取り組む必要をうながしているといえよう。

時代の進展に伴って、奉仕の形態は当然変化する。しかし、奉仕の原理やその精神には変わりがあろうはずはない。そこで教会は常に、その立っている地域に対して深い関心を持ち、地域奉仕のために信徒の力を結集することが緊急な課題である。教会が地域から浮き上がったものとなる最大原因は、奉仕ということに無関心であり、自己充足の状態に甘んじていることにある。会堂建築も、集会の計画もすべて、地域奉仕の視点をゆるがせにしては、無意味になってしまう。

社会奉仕にあたって大切なことは、すべてのものがキリストのものであり、その一つを各人がゆだねられているという意識であろう。現代社会はいっそう有機的な複雑な関連をもって進展している。政治、経済、文化、技術、そのいずれもがはげしい相互作用をする。社会は生きものである。その中に信徒ががっちり組み合わされ、その持ち場をキリストのものとしてゆく努力によって、「地の塩、世の光」としての責任が果たされることになろう。こうした観点から、自己の持ち場に対する信仰的自覚が最も大切である。

八　教会の組織

教会は宣教の使命を達成するために組織を持っている。この組織の機能を十分に働かせその秩序を保つのは、言うまでもなく聖霊の導きと、教師、信徒の信仰である。

各個教会は日本基督教団の信仰告白、教憲、教規および規則に基づいて教会規則を制定している。教会は規定によって第一種教会、第二種教会および伝道所と分けられている。

第一種教会は現住陪餐会員（教会員として年間聖餐式に列し、義務責任を果たし戒規を受けていない信徒）おおむね五〇名を有し、教区の定めた教師謝儀の基準額その他教会の経費および教区の負担金を支弁する教会である。

第二種教会は第一種教会の条件を具備しない教会で、現住陪餐会員がおおむね二〇名以上あり、規定額の献金のある教会をいう。

第三種教会の条件に満たないものは伝道所と呼ばれ、教区または教会と関係を保って指導と援助を受けている。現住陪餐会員がおおむね二〇名に達した場合は、第三種教会を組織することができる。

教会のこのような種別は、神から与えられた資格や階級ではない。それは、伝道所は第三種教会となり、第三種教会は第一種教会となることを目ざすことによって、教会がいっそう態勢を強化するよう、牧会的にまた教育的に配慮した取り決めである。

これら教会の運営には教師と役員とで組織する役員会（教会によっては長老会、執事会などと呼ぶ）があたり、最高の政治機関（教憲第七条）として教会総会がある。

教会は宣教力を高めるために、それぞれ工夫して組織をつくっている。教会によっては、教務部（委員会）、伝道部（委員会）、教育部（委員会）、財務部（委員会）、奉仕部（委員会）、教会学校部や、性別、年齢によって壮年部（会）、婦人部（会）、青年部（会）、高校生グループなどを設けている。

教会員はそれぞれ適任者が部員または委員として選ばれ、原則としてはどれかの部または会に属し、相互の交わりと信仰の向上をはかり、伝道に力を尽くし奉仕のわざに励むのである。

1　教師

普通、教師と呼ぶ場合、日本基督教団においては、教会担任教師、巡回教師、神学教師、教務教師のことである。さらに派遣宣教師と受け入れ宣教師がいる。

教師はこれをわけて、正教師と補教師とがある。正教師は正教師検定試験に合格し、按手礼（あんしゅれい）を受けた者であり、補教師は補教師検定試験に合格し、伝道の准允（じゅんいん）を受けた者である。

一つの教会には担任教師がいて、主任者の場合は主任担任教師という。教会担任教師である正教師を牧師といい、補教師は伝道師という。

教師は、信徒の中から特別な召命を受けて献身した者である。教師は、御言葉の宣教を使命として神から選び召し出された者であって、教会における信仰の導き手である。

教師と信徒とは、神の前に身分の違いがあるわけではないが、職分の相違がある。この点から教師は、神に専心仕えるものとして、尊ばれなければならない。万人祭司（キリスト者全員が、他者を神に導く祭司であるという理解）というプロテスタント教会の原則は、信徒の使命を重視するものであるが、伝道牧会の働きのために専念する職分が尊重されることによって、教会が育てられるのである。

教師は自分自身の責任を感じて、まず、みずからの信仰の進歩と知識の習得に心を用いなければならない。そして教会の徳をたてることと、すべての信徒の信仰と日常生活のため最善を願って牧会、伝道に励むべきである。

信徒と教師との間には、深い信頼関係が必要であって、相互に愛と理解とによって助け、励まされねばならない。

よい教師によってよい教会が形づくられ、よい信徒が生まれる。同時にまたよい信徒によってよい教師がつくられるとも言われる。教師に対する信徒の望ましい態度をあげてみよう。

① 教師を神から遣わされてきた器として信頼し、信仰上の課題や日常生活の実際的な事柄についてもよく相談し、困難な場合に直面したときは、神の導きと助けを求めて共に祈ってもらう。

② 教師の役割や職務を十分に理解し、その働きのために協力する。たとえば、教師の最も大切な任務である説教の準備のために祈り、十分な時間を割けるよう配慮する。

③ 教師の願いは、教会がキリストの体として形成され、成長していくことである。信徒も同じ思いをもって証しと伝道に励み、信徒の交わりを育み、互いに祈り、励まし合って、教師と共に教会形成の喜びにあずかりたい。

④ 教師が伝道・牧会のわざに専念できるよう、信徒は教師とその家族の生活を支えるための配慮と努力を惜しまない。

2 教会総会

教会総会は、教会の最高政治機関である。教会総会には毎年の定期総会と必要に応じての臨時総会があり、教会担任教師と現住陪餐会員とによって組織される。

教会総会の定足数は、教会規則によって定められている。教会総会において処理する事項は次のものである（教規第九七条）。

①　前年度の教勢および事務報告ならびに当該年度の事業計画に関する事項
②　歳入歳出予算および決算に関する事項
③　教会規則の変更に関する事項
④　牧師、伝道師の異動に関する事項
⑤　キリスト教教育主事に関する事項
⑥　役員の選挙に関する事項
⑦　教会財産の管理その他の財務に関する事項
⑧　教区総会議員の選挙に関する事項
⑨　その他教会における重要な事項

総会はこのような事項について処理する大切なものであるから、教会員は責任をもって出席すべきであり、これを軽視するようなことがあってはならない。

議案や報告書は前もってよく読んで準備し、選挙に際しては無責任な投票でなく、だれを選ぶか事前に備えておく必要がある。

発言は特に注意し、静かに意見を述べ、同一議題については、たびたび発言することのないようにしたい。教会の徳をたてるよう謙遜な態度でありたい。

決議にあたっては、神の御旨(みむね)を求め、神の栄光をあらわすために祈って賛否の決定をしたい。

3 役員会

教会役員は神より教会に委託された任務のために、教会総会で選挙によって選ばれ、教師と共に役員会を組織する。

役員に選ばれたならば、神からの任命であることをおぼえて、謙遜に任につき、職責をまっとうしたい（教規第一〇二条）。

役員会で処理すべきことは次の事項である。

① 礼拝および聖礼典の執行に関する事項
② 伝道および牧会に関する事項

③ 教会記録に関する事項
④ 金銭出納に関する事項
⑤ 信徒の入会、転入および転出に関する事項
⑥ 信徒の戒規に関する事項
⑦ 教会総会に提出すべき歳入歳出予算および決算その他の議案に関する事項
⑧ 牧師および伝道師に関する事項
⑨ キリスト教教育主事に関する事項
⑩ 教会財産の管理その他の財務に関する事項
⑪ 教会諸事業の管理に関する事項
⑫ その他教会における重要な事項

役員は教師を補佐し、教会員のために心を配り、教師と共に神の教会として誤りのない運営をしなければならない。教師と共に御言葉に奉仕し、教会の信仰の純正を保ち、教会員の教育訓練につとめる。

信仰と徳においては信徒の模範であるよう、ますます信仰を養い教会生活に誠

実を尽くしたい。

教師を理解し、教師のために祈り、信徒をつまずかせることのないよう言動に注意したい。

役員会については、教会員にその都度知らせ、教会員全体の問題として関心を求めるようにはからう。

⑴転出転入　他の土地に移転した信徒は、なるべく早くその地の教会に出席する。どの教会に出席するかは、先住地を発つ前に教師に相談することが適切である。原則として出席する教会が変わったときは、なるべく転会するのがよい。

転会の手続きは、出席している教会に教籍を移したい旨を、在籍教会またはその教師に申し出れば、在籍教会役員会の決議を経て、転会薦書が出席教会へ送られてくる。出席教会では役員会の決議を経て、転入が受け入れられ、適当な日に転入会式が行なわれる。通常、主日礼拝の際に行なわれる。

所属教会は、転居のほかは、よほどの理由がない限り変えるべきではない。安易に変えることは、信仰上の益とならない。土地が変わって所属教会が変更されるときも、信仰生活上の危機となりやすい。それゆえ、教会も本人も十分注意する必要がある。特別な事情で転会できない場合は、客員として手続きを済ませ、信徒の義務を忠実に果たすようにしたい。

(2)戒規　戒規は、教会の清潔と秩序を保ち、その徳をたてる目的をもって、信仰的にまた道徳的に教会の秩序をみだす者に対して悔い改めを求めて行なわれる。信徒の戒規には、戒告、陪餐停止と除名の三つがある。

陪餐停止の処分を受けている者は、役員に選挙されることはできない。

除名は、教籍を除くことであるが、神の国からの除名ではない。地上の教会の秩序と聖潔を保ち、その者を神の御手にゆだねることである。そうして主の審きの日に救われるためのものである（コリントI5・5）。

愛と赦（ゆる）しの教会にこのような処分があるのは、一見矛盾と思われるが、聖書にこのことが示されている（コリントI5・2―5、テモテI1・19―20）。

戒規は、被処分者と神との関係を規定するものではない。地上の教会の規定であり、教会の教育訓練である。戒規の執行は役員の個人的な意見によってでなく、すべての者の愛と祈りとの労苦のうちに行なわれるべきものである。

4　教団、教区と各個教会

日本基督教団に属する個々の教会は、日本基督教団の教憲、教規に従い、一教会として全体教会との信仰の交わりをし、それによって信仰の訓練と宣教の働きを共にするのである。

教団は教会的機能および教務を遂行するために教区を置いている。教区は教団所属教会の地域的共同体でもある。

教区にはさらに教区の規則によって、支区、分区、地区などを設けている。各個教会はそれらに対して、また教会相互に対して、福音において連帯性を意識し、それぞれの責任分担のため協力一致して尽くさねばならない。

自分の教会だけがよければよいとして、他の教会や地区、分区、支区、教区、教団に無関心であるような、閉鎖的態度に陥らないようにしなければならない。

九　教会の財政

教会はこの世の他の諸団体と同じように、社会の中に立っていて、同じ制約の下にある。だから霊的な集団（エクレシア）であるとはいえ、共同体としての必要な組織を持ちつつこれを維持し、運営してゆかねばならない。特に牧師、伝道師は全生涯をささげて教会のために尽くしているのだから、その生計を教会が支えなければならない。また何よりもまず、教会はその地に与えられた宣教の使命を果たさねばならないが、個々の教会はそれだけで立っているのではなく、その地区、分区、支区、教区、あるいは教団内にあって、諸教会との連帯関係にあるのだから、その使命遂行のために、共同責任として負担金、分担金、援助金などを支弁して、宣教の業を広く推し進めてゆかねばならない。これら一切の費用は献金によってまかなわれるのである。それゆえ、各自は、分に応じて教会の宣教のために献金することによって、具体的にその責任を果たさねばならない。

1　教会の収入

教会の収入源のおもなものは諸献金である。

(1)献金　「イエスは、わたしたちのために、命を捨ててくださいました」(ヨハネI 3・16)。この恩寵(おんちょう)に対する信仰の応答は、わたしたちの全存在と全生活をささげることにおいてあらわさねばならない。その具体的なあらわれの一つが献金である。

旧約聖書にもしるされているが、今でも農漁村などでは収穫物の一部をささげるところがある。しかし献金による場合は、間接に労力をささげることである。信徒の生活のすべては神から与えられたものだから、これを神にお返ししなければならない。だから収入の初穂をまず神にささげて、御業のために用いていただくのである。それゆえ、献金は残りをささげるという考え方や、いわゆる会費であってはならない。それは、第一に、感謝の心でささげること。第二には奉仕の精神で教会に協力する。第三には、自分の分に応じて教会員としての責任を果たすことなのである。わたしたちはレプトン銅貨二枚をささげたあの貧しいやもめにならうものとなりたい（ルカ21・1—4）。

(2)献金の種類

①　月定献金　これは月約、月次、月決め、あるいは維持献金などとも呼ばれている。教会員が月々分に応じ、金額を定めてささげるもので、教会運営の基礎となるものである。旧約時代には収入の十分の一をささげた。それには今日の税金に相当するものも含まれていたし、経済事情も今とは違っていたが、その精神は変わらない。十分の一に近い額をささげたいものである。これは教会の経常費の主要な財源となるものであるから、毎月必ずささげるべきである。まとめて年に何回かに分けてささげるのは教会の財政をよく理解していないからで、まとめて何ヶ月分もささげられるような額は分に応じた額かどうか反省しなければならない。また社会の経済状態とともに献金額も毎年あらためて考えるべきである。もしなんらかの事情で滞ったり、重荷になった場合は、教師あるいは教会の財務担当者に実情を打ち明けて相談することである。また献金はひとりびとりが神の恵みに応えてささげるものであるから、月定献金は家族がひとまとめにしないで

ひとりびとり別々にするほうが適当であろう。

②　礼拝献金　主日礼拝、その他の礼拝の席上でささげるものであり、献金額は任意であるが、感謝と奉仕、献身の志でささげるものである。

礼拝献金も教会経常費に支弁するところが多く、宣教の重要な財源となっている。

③　特別献金　次のようなものがある。

感謝献金と記念献金　バプテスマ、結婚、誕生、就職、逝去、その他の特別な出来事のあったとき、およびそれを記念してささげるもの。

祝節献金　クリスマス、受難節（週）、復活日、ペンテコステなどにささげる。

指定献金　特別な使途を献金者が明示してささげる。

特別（臨時）献金　特別伝道、会堂建築、会堂維持、増改築、会堂建替積立、特別設備、災害救援、他の教会、伝道所や神学校後援、諸施設寄付、その他の特別な計画に応じるもの。

この他、進んで献財の精神を発揮したい。自分の教会のためだけでなく、他教会および教界全般のことを考えてささげたい。教団や教区の財政に対しても教師や会計役員のみに任せるのではなく、各自が十分にささげることによって、各個教会がその責任を果たすことができよう。

2　教会の支出

教会が支出する主要なものは次のとおりである。

経常支出　礼典費、伝道費、諸集会費、教師謝儀手当、給与（事務員、会堂守などのため）、建物費、光熱用水費、事務費、雑費（慶弔および見舞金など）、その他、教会学校費、各部会費、教区その他への負担金（教団、教区への分担金、伝道資金、謝恩日献金など）、神学校および他の教会への援助金、諸寄付金など。

臨時支出　建築、修繕、土地購入、臨時救援費、その他のための支出。

教会の財政は会計役員が担当するのであるが、もちろん教師の指導のもとにある。毎月役員会で会計報告の承認を受け、また教会総会において決算の承認を受け、新年度の予算を立てる。

信徒はひとりひとりが財政に参与しているのだから、教会の経済状態についても十分理解するように心がけ、各自の分を尽くさねばならない。特に教師は全生活をささげて尽くしているのだから、教会がその全生活を支えるのが当然である。

第二章　日常生活

一　個人として

キリスト者は、教会の一員であるとともに、社会に連なり、神の前に立つひとりの信仰者でもある。信仰生活には、この世の人の知らない生活がある。信仰者の生活の目標は「キリストの福音にふさわしい生活を送りなさい」（フィリピ1・27）と示されているように、非常に高いものである。キリスト者は小成に安んずることなく、その人生を立派に送り、高きに進みたい。

キリスト者の生活は、キリストを証しする者の生活であって、「とがめられるところのない清い者となり、よこしまな曲がった時代の中で、非のうちどころのない神の子として」（フィリピ2・15）、「食べるにしろ飲むにしろ、何をするにしても、すべて神の栄光を現すために」（コリントI 10・31）、「人々が、あなたがたの立派な行いを見て、あなたがたの天の父をあがめるように」（マタイ5・16）と教えられているように生活することである。このことのためにも、キリスト者の個人生活は第一に敬虔を学ぶ生活でなくてはならない。敬虔を学ぶというのは、自分の中から、なにか敬虔らしいものを引き出すというのでなく、自分の中に根を張っている「神なしに生きようとする人間的な思い」にうち勝ち、日々キリストを仰ぎ、常に信仰により、恩寵に応えて生きようとする生活である。このような生活を続けるためには、聖書をよく学び、熱心に祈り、すべてのことにおいて、神の御言葉と聖霊の導きに従わねばならない。

1　聖書と生活

聖書はキリスト教の正典である。信仰告白にも示されているように、「福音の真理を示し、信仰と生活についての、誤りのない規範」であるから、信徒は信仰をもって、よく聖書を読まねばならない。そうするとき、聖書は信仰生活に豊かな力を与えてくれる。

現代人の生活は、多忙、複雑、煩瑣であって、物質文化に食傷している。そのため、人々は精神的に疲れきって、霊的無感覚に陥っている。だから、キリスト者は、聖書を常に読み、深く学び、よく味わって、真の霊的生命をくみとることが必要である。

① 健康に必要な栄養は、毎日規則正しく食事することによってとらなければならない。魂の糧として聖書を読むことも同じであって、毎日、規則正しく読む習慣を養うことが大切である。聖書は早朝とか、正午とか、就寝前とか、特定の時を定めて読むことが望ましい。毎日聖書を読むためには、日本基督教団出版局発行の「主日聖書日課・家庭礼拝暦」等によって、さらに「日毎の糧」(日本基督教団出版局発行、月刊「信徒の友」に毎月掲載)を用いることも非常に有益である。

② 聖書を読むとき、ともすれば新約聖書だけを読み、旧約聖書を読まない傾向があるが、旧約、新約をあわせ読むようにつとめたい。旧約聖書を一回通読するあいだに、新約聖書を四回通読することができるが、だいたいこのくらいの割合で読んでゆくとよい。毎日一章ずつとか、旧新約聖書を一年または二年で通読するとか、計画をたてて読むことが大切である。

③　さらに聖書は、たびたび通読するとともに、深く学び、研究しつつ読むことも大切である。教会に備えられた書籍によって教理を学ぶとか、事情のゆるす限り聖書事典、聖句索引（コンコルダンス）、注解書などによって、深く研究することが望ましい。またそのためには、教師の指導を受けることが必要である。

④　しかし、聖書研究は、信仰のためのものであるから単なる学問の研究というよりも霊の賜物（たまもの）を深くたずねる心をもって学ぶことが肝要（かんよう）である。聖書を読み、また学ぶとき、聖霊の導きを祈り求めなければならない。聖書は読みつつ祈り、祈りつつ読むべきものと教えた聖書学者があるが、これは聖書味読の極意である。聖書に生かされ、養われ、力づけられて福音の信仰をしっかり把握し、それに徹底するようにつとめたい。

⑤　また聖書を読むとき救いの喜びを見いだし、深い感動をおぼえた聖句には傍線を引き、会心の聖句は書き抜いておいたり、暗唱できるまでに記憶することにつとめると、益となることが多い。

⑥　聖書のほかに、神学書や信仰の読み物に接することは重要である。それと

ともに、キリスト教会の古典的な書物を読みこなしたいものである。さらにそれだけでなく、現代の信仰書をも読んで思想的にもしっかりした見識を持ちたい。聖書以外の神学書や信仰書を読むときには、教師の指導を受けるようにしたい。

⑦ 教会内で、あるいは有志で読書会や研究会を持つ場合には、教師に相談し、その指導を受けるようにすることが大切である。教会の徳をたて、教会形成のためになるようにしたい。

聖書研究は個人として、またグループとして、これを行なうのもよいが、正しい教会観に立っていなければ、間違いを起こしやすい。教会の外でする聖書研究であっても、それは教会を離れてのものであってはならない。

聖書を学ぶことは、学ぶ者をキリストの体なる教会に結びつけるものである。

2　祈りの生活

キリスト者の生活は、祈りを中心として展開される。祈りは神と語り神と交わることであり、願望（フィリピ4・6、7）・讃美（詩編103編）・告白（詩編32・5）・感謝（エフェソ5・20）・懺悔（ルカ18・13）・執り成し（ローマ15・30、ルカ22・31―

32）などが含まれている。

祈りを抜きにしたり、祈りをおろそかにしたりする信仰生活はない。呼吸をやめては生きられないように、祈りを離れては生きられないのが、キリスト者の生活である。絶えず祈りによって神と交わり、神の御声に耳を傾け、神の意志に従ってゆくことが求められている。

① 祈りはキリストの御名によって祈るのである。キリストの御名によって、真心より熱心に祈る祈りは、必ず聞かれる（ヨハネ14・13）。たとえ祈ったままの形で聞かれなくとも、必ず聞かれる。真実な祈りは決してむなしく終わることはない。

② 祈りには密室の祈りがある。これは「奥まった自分の部屋に入って戸を閉め」（マタイ6・6）祈ることである。密室では、何ものにも妨げられず、思うがままに祈ることができる。信仰生活に密室の祈りが多くならなければならない。密室の祈りとは室内ばかりでなく、朝早く、夜遅く、山に野に、川辺に、海辺に、ひとりで祈る祈りである（ルカ6・12、マタイ14・23）。密室は各人の心がけで、ど

こにでもある。

③　二人または三人が心を合わせて祈り合うことが必要である（マタイ18・19―20）。共通の事柄を、忍耐をもって祈り続けるとき、天にいますわれらの父は、応えてくださるのである。

祈りの友をひとり、またひとりと祈って与えられることが望ましい。

④　祈りには黙想のうちに声なくしてささげられる黙祷がある。黙祷は単に瞑想に終わらぬように神に向かって心が開かれていなければならない。集会などで他の人に和して祈る場合も黙祷である。

「主よ、……わたしたちにも祈りを教えてください」（ルカ11・1）。み心にかなった祈りを求めつつ、祈りの深みに徹するのが祈りの生活である。

3　日常生活

「あなたがたは世の光である」。また「あなたがたの光を人々の前に輝かしなさい。人々が、あなたがたの立派な行いを見て、あなたがたの天の父をあがめるようになるためである」（マタイ5・14、16）。キリスト者は神の恵みと赦しによって

「光の子」（エフェソ5・8）とされたのである。「こういうわけ」だから「神に喜ばれる聖なる生けるいけにえとして」（ローマ12・1）日々、神に自分をささげる生活がキリスト者の日常生活である。

この献身の生活は、神の御旨（みむね）に服従してゆく生活であり、この生活から神の国建設への勇気が生まれてくるのである。また、この服従の中に節制、聖潔、克己、働き、交わりが生まれるのであり、おごりたかぶりや、虚飾はそこには存在し得ない。

(1)一日の生活　キリスト者の一日は、聖書を読み、祈りをもって始め、神の恩恵である日毎の食事に感謝し、むさぼることなく、自分の職務には心をこめて誠実にし、夜は一日の言行と心情を謙遜に反省し、祈りをもって安らかに眠りにつく生活である。

(2)健やかな生活　常に心身の健康に意を用い、病気にならないようにし、病気になったときは、いやしの恵みを信じるとともに、いっそう健康管理に注意したい。またこれを機会に神にたちかえり、新たに信仰生活に励むべきである。病気のとき、信仰の祈りは力である。医薬は排斥(はいせき)されるものではない。医薬の進歩も神の恩恵として受け取りたい。病床が信仰の修練の場となり、病気によって、健康なときには知らなかった霊性の賜物を与えられることはよくあることである。

⑶聖潔の生活　聖潔(きよめ)ということは、神の恵みに応えて生きようとする者の生活からにじみでるものである。しかし、油断をすれば、キリスト者の生活も、聖潔とはほど遠いところへ転落する。キリスト者は、常に聖書の導きを信じて、信仰を妨げたり、品性を傷つけるような娯楽や趣味におぼれず、賭け事や、これに類するものから遠ざかるべきである。

男女交際については、自分の身を情欲にゆだねず、純潔を保ち、異性に対しては尊敬の念をもって接したい。

金銭に関しては貪欲であってはならず、負債のある場合にはなるべく早く返却し、金銭上のことで信仰の交わりにひびが入らないようにしなければならない。

キリスト者であるということから、完全であることを望むために、過ちを犯したときにも、それを取り繕おうとする動機から偽善に陥る危険が多い。過ちを犯したときは、神の前に率直に悔い改め、自分の弱さを認め、聖霊の導きにゆだねることが大切である。

(4)克己の生活　信仰生活は自分にうち勝って、神に従う生活である（マルコ8・34）。ひたすら主を見つめ、主に従う生活を妨げるものを潔く切り捨てることが信仰生活には伴うものである。禁欲、節制が古くからキリスト者の生活で重視されたのは当然のことである。

たとえば日本の諸教会では、明治以来、禁酒、禁煙の生活が強調されてきた。これは、酒やたばこは個人的には身心を害し、社会的にも大きな問題を起こし、信仰生活の妨げになることが少なくなかった。そのため教会が信仰の決断として主張し、また実行してきた生活倫理の一領域である。

禁酒・禁煙を固定された教会の律法のように主張することには批判もあるが、「あなたがたは食べるにしろ飲むにしろ、何をするにしても、すべて神の栄光を現すためにしなさい」（コリントⅠ10・31）との教えが根本である。現代では依存性薬物の使用も深刻である。

克己の生活は一朝一夕で完成するものではない。青少年時代から、一貫して、忍耐と努力を続け、自分の克己生活のゆえに他人を見下げたり、高ぶったりすることなく、いつも主の道を歩み続ける者でありたい。

⑸働く生活　信仰生活は、キリストと共に働く生活である。信仰の生活は怠惰な生活であってはならない。また、自分のために生きる生活でもない。神の栄光をあらわすための生活である。

職業選択については、できるだけ信仰生活に妨げとならぬものを選び、与えられた職業と職場の中で、それらを通して神と人に奉仕するのがキリスト者の職業生活である。職業は物質生活の営みとしてのみ考えられやすいが、神と人と、人と人との深い人格的交わり、互助的共存の具体化の場である。ここにキリスト者の職業の希望と意味がある。今日の多忙な生活の中では職業生活が、教会生活を妨げる場合が起こってくることがある。この場合、キリスト者は教会生活に重点を置くべきである。これは、キリスト者の生活はまず神の教会に召されることに始まるからである。

自分の職業と信仰生活が両立しないような事態に当面するとき、また、失業という問題に出会うとき、消極的になったり、ひっこみ思案に陥ったりしないで、神と共に働く生活を忘れず、祈りつつその道を開きたい。

⑹交際（まじわり）の生活　キリスト者は、この世から召し出された者であるとともに、また、この世へ遣わされた者である（マタイ5・13、コリントⅡ5・20）。この二重の関係を忘れてはならない。この世から分離された者であるということは、所属の変化を意味する。この世へ遣わされた者であるということは、その変化を前提としての交際（まじわり）を意味する。この世は悪の霊のはびこっているところであるとしても、この世にある人々に対しても、キリストの救いの恩寵は与えられていることを忘れてはならない。キリスト者は遣わされた者として、この世に責任を持っている。遣わされた者としての確信は、われらに自重を促すが、それはこの世に対して傲慢（ごうまん）になることではない。この世の異質性を軽々しく批判するあまり、この世の人との交際を失うようであってはならない。しかしこれと反対に、その異質性を考えないでこの世と妥協して社交にふけり、交際がふしだらになり、ついにはキ

リスト者であることさえわからなくなってしまうようであってはならない。ゆずってよいことと、ゆずってならないことをよくわきまえたい。

① キリスト者にとって最大なるものは、愛である。「知識は人を高ぶらせるが、愛は造り上げる」(コリントI 8・1)。信仰生活の特色は、知識をもって他を裁くところにあるのでなく、愛をもって他に仕えるところにある。

愛と平和を破壊する無意義な争いをさけ、この世にある人々をひとりでも多く救うためにわたしたちは積極的に交わりを求めてゆかねばならない。

② 交際のため娯楽や遊びも起こってくる。しかし、「悪いつきあいは、良い習慣を台なしにする」(コリントI 15・33) ことを思い、つとめて悪い交際を避けねばならない。親戚や職場の義理で、自分の欲しない付き合いを強いられることがある。この場合にも、神のみ心を第一に考えるとともに、その人を救いに導くことを究極の目的として祈って事に対処したい。

③ キリスト教は、キリストのほかに救いがないことを伝える宗教である (使徒4・12)。キリスト者は他の宗教を信じる人々の自由を認める。しかし、「救い

の問題」になると、他宗教の人々に対して福音を伝道する責任を持っている。したがって他宗教に対しては注意深い態度を払いつつ、キリストの福音を大胆に、勇気をもって明らかにしなければならない。

他宗教の信者によって催される行事に列する場合は、信仰の良心に従ってふるまうようにしたい。

神社は今日、神社神道として明らかに宗教であるから、キリスト者の礼拝の対象となるべきではない。しかし祖先や尊敬すべき人々を記念してある所では、キリスト者の立場から、適当な方法で、敬意をあらわすことは妨げない。仏教からキリスト教に入信した場合、先祖から伝わった仏壇や位牌(いはい)は、世人のつまずきとならぬよう、思慮深く処理したい。キリスト者は占い、その他これに類する迷信は、いっさい拒否すべきであり、「大安」「吉日」「仏滅」等にこだわったりしてはならない。

二　家庭人として

キリスト者にとって、家庭は安息の場所であるとともに、「家族」と呼ばれるキリストを頭とする共同体である。したがってキリスト者の家庭は、礼拝・祈祷という霊的な祭壇を持つ。家庭は神に仕え、人を愛し、自分を築く信仰の場である。信徒の家庭は神を中心に、夫婦・親子・兄弟姉妹仲よく、信仰の道に励み、純潔・平和・勤勉・愛情の生活をし、近隣のよい模範となりたい。

聖書においては、個人の救いとともに家の救いが考えられている。ルカによる福音書19章9節には、ザアカイに対して主は「今日、救いがこの家を訪れた」と言われている。使徒言行録では「主イエスを信じなさい。そうすれば、あなたも家族も救われます」(16・31)とある。また初代教会には「家の教会」と言われるものが多くあったことからも、おそらく全家族が救われた実例がたくさんあったことであろう。

キリスト者は神の前に立つひとりの信仰告白者であるとともに、家族の一員として自分の家庭の全員を神にささげなければならない。キリストを中心とした新しい家庭をつくるべきである。

日本では自分一人だけが家庭の中にあってキリスト者であるという場合が多い。これらの人々はノンクリスチャンの家庭にあってさまざまな困難に直面せざるを得ない。しかし、家庭の中に一人でもキリスト者が存在するということは、その家庭にとって大きな祝福ではなかろうか。家族の救いのために祈り、家族に仕えつつ共に歩むことは大切である。やがて信仰の家庭が生まれることを信じ、希望をもって励みたい（コリントI 7・14）。

1　キリスト者の家庭

(1)神を中心に　キリスト者の家庭は神を中心に、「この家の頭は主イエス・キリストである」ということを念頭において、その日々の生活は神の恵みを感謝する生活であり、神の栄光にあずかる希望を持った喜びの生活である。また、たとえ患難に際しても、それらの一つ一つが、あたかも彫刻師のノミのようにわたしたちの人生に美しい線をきざみつけ、完全に近づけるようなものであることをおぼえてこれに耐えねばならない。キリスト者の日常生活は、信仰から行為に通じる通路のようなものであり、よきわざに励むことは、神の子とされた者のとるべき当然の態度である。

キリスト者はまた万人祭司であり、祭司がその一生を神殿の礼拝にささげ、その日の生活も礼拝をもって送ったのと同じく、キリスト者の生活も日々礼拝の生活であり、神の恵みとキリストの救いを証しする生活である。神を中心に、聖書を読み、家庭礼拝を守り、祈り深く感謝に満ちた日常の、なごやかなクリスチャン・ホームの雰囲気は、知らず知らずのうちに近隣へのよい感化を及ぼし、愛と敬虔（けいけん）に満ちたキリスト者の言葉づかいや行動は、自然にキリストの証しとなり、無言の伝道にもなる。

(2)家庭礼拝　家の祭壇としての家庭礼拝は重要である。この祭壇の火を消さないようにするため、父母の責任は大きい。一家をあげて神の御前にひれ伏すひとときを持つ敬虔な家風をつくりたい。家庭礼拝はまた、一家の一致和合の源である。家庭礼拝は毎日行なうべきものである。家庭礼拝は家族全員が最も集まりやすいすいときに行なう。しかしそれがあまり長い時間をとると続けられなくなる。朝食前か夕食後、または就寝前などがよい。父母、または年長者、あるいは交代で司会にあたる。その順序の一例を左にかかげる。

一　讃美歌

一　聖　書　日課輪読または司会者朗読（時としては短い感話）

一　祈　祷

一　主の祈り

一　頌栄（しょうえい）

時間のないときは讃美歌、頌栄は省いてもよく、その場合に応じて適当に行なう。この場合、教師にたずねて聖書通読暦等に従った解説書を用いるとよい。

家庭礼拝において同じ聖句を一同でとなえるならば、子どもたちの心に聖句を植えつけ、成長を遂げてからも益が多い。食事の折など、これらの聖句を一同でとなえ、そのあとで食前の祈祷をささげるならば、短くてひきしまった時を持つことができよう。たとえば、次のような聖句は適当であろう。

「わたしとわたしの家は主に仕えます」（ヨシュア記24・15）
「あなたの御言葉は、わたしの道の光、わたしの歩みを照らす灯」（詩編119・105）
「見よ、兄弟が共に座っている。なんという恵み、なんという喜び」（詩編133・1）

「我らの神、主は唯一の主である。あなたは心を尽くし、魂を尽くし、力を尽くして、あなたの神、主を愛しなさい」（申命記6・4—5）

家庭礼拝はたとえ短い時間でも、その日の心の糧となる大切な行事である。家庭礼拝の習慣とその雰囲気の中で、子どもたちの信仰と人格が育成されてゆく。

家庭礼拝は、司会者を立てることが望ましい。家庭礼拝のときに、来客があったら、加わってもらえれば伝道の機会にもなる。万一家庭内に不和がある場合にも家庭礼拝をやめてはならない。家庭礼拝が、その不和を克服するであろう。家庭礼拝の中では、自分のため、家のためだけでなく、他人のために執(と)り成(な)しの祈りをすることが大切である。その場合も、特に神の教会のため覚えて祈るようにしたい。

(3)家族の和合　家族の和合は他人から見てもうらやましいものである。親子・夫婦・兄弟姉妹等が仲むつまじく生活できる家庭は美しい。長い人生においては疲れることもあり、また時には種々の困難な時期もあるものである。しかしその疲れたときや困難な時期に際して、愛情と信仰と忍耐とをもってこれに当たるとき、その困難は解決できる。キリスト者の家族の人たちはなるべく話し合いの場をつくるようにし、お互いに信仰による親切と忍耐と愛情とをもって接し、神に祝福されたなごやかなむつまじい家庭でありたいものである。

(4)親子・夫婦の人間関係　神を父と仰ぐキリスト者は、神を愛する者として、また肉体の父母をも愛する。モーセの十戒の中にも「あなたの父母を敬え（うやまえ）」と命じられている。「父母を軽んずる者は、呪われる」（申命記27・16）ともある。

新約聖書にも「子供たち、主に結ばれている者として両親に従いなさい。それは正しいことです。『父と母を敬いなさい。』これは約束を伴う最初の掟（おきて）です。『そうすれば、あなたは幸福になり、地上で長く生きることができる』という約束です」（エフェソ6・1―3。コロサイ3・20参照）とある。

神は、わたしたちを生み、育て、助けるために、わたしたちに両親を与えられた。キリスト者が両親に孝養をつくすのは、単に一般倫理としてだけでなく、神の摂理に感謝する信仰の事柄である。

家庭において父母をはじめ、年長者を尊び、老齢者をいたわることは、信仰のうるわしい実践と言わなければならない。

近ごろ、封建的な家庭への反動として、父母を軽んじる傾向がないでもないが、キリスト者はそうあってはならない。形式的に父母の世話をしているだけでは、神の言葉をないがしろにすることである。主の言葉に聞こう（マルコ7・10―13）。キリスト者こそ心から父母を敬い、孝養を尽くしたいものである。

夫婦については、聖書には「人が独りでいるのは良くない。彼に合う助ける者を造ろう」（創世記2・18）、「こういうわけで、男は父母を離れて女と結ばれ、二人は一体となる」（創世記2・24）とある。

神は人が成人してそれぞれの親を離れて夫婦一体となることを祝福された。夫婦は生涯愛し合い、助け合い、いたわり合い、慰め合い、助言し合い、健康などきもまた病気のときも苦楽を共にし、生涯を送るものであり、夫は妻から、妻は夫から離れてはいけない。

(5)子どもの指導　子どもは神の賜物（たまもの）である。子どもは神から委託されているものと考えなくてはならない。子どもを親の私有物のように思うことは誤りである。神から託されたものであるから放任することも、また、間違いである。祈りつつ、子どもを育て指導するのである。ただかわいらしいからかわいがっているというだけでは信仰的ではない。「神の言葉」に聞きながら育てるようでありたい。

両親がキリスト者でありながら、その子どもが必ずしもキリスト者でないという場合がある。また、時としては信仰に敵対するものさえ出ることがある。これは親にとっては非常な痛みである。親としてしんぼう強く祈り、最後まで望みを持ちながら子どもの信仰指導を続けたい。

「父親たち、子供を怒らせてはなりません。主がしつけ諭されるように、育てなさい」（エフェソ6・4）。

①　子どもの信仰指導は、基本的に言えば、まず胎教（たいきょう）から始まる。親はこの点

に留意し、信仰をもって敬虔な毎日を歩むべきである。
②　幼児洗礼式または幼児祝福式を受けさせようとする両親は、みずからの信仰と責任を深く思い、まず教師と相談することが大切である。
③　学齢前の子どもの信仰指導については、キリスト教主義の幼稚園を選びたい。しかし、そのような幼稚園のないときは、この時期の幼児指導の重大性を思って、両親は祈りつつ特別の配慮を加えなければならない。
④　子どもの指導のために、教会、教会学校が果たす役割の大きいことは、いまさら言うまでもないが、家庭の影響力は、さらに大きい。物心（ものごころ）のつかない頃から、寝る前に親子で共に床の上に正座し、短い祈りをささげるようにするなら、大きくなってもこの習慣は続けられ、ついには救いの恵みを受けるに至るであろう。
⑤　両親の虚栄は、知らず知らずのうちに子どもを傷つける。神に服従し、聖書を読み、教会を重んじ、人を愛することを常に教えたい。上級学校の選択においてもいたずらに世論に左右されないことが肝要（かんよう）である。

⑥　子どもが、反抗期や思春期の年齢にいる時期には、両親は十分に理解と祈りをもって接するように心がけなければならない。この時期の子どもを持つ親たちにとっては、親たち自身の信仰の試練のときでもある。

⑦　十代は信仰に入る絶好の機会である。この時期に信仰告白が起こるように祈りつつ最善を尽くすべきである。幼児洗礼を受けた人々も信仰告白（堅信礼）をし、教会入会の正式な手続きをしなければならない。

⑧　要するに、子どもの信仰指導では、教会との関係が最も大切である。それゆえ子どもの前では、信仰指導の妨げになるような教会や教師の批判は慎まねばならない。

2　誕生

子どもが誕生することはうれしいことである。子どもが生まれたときは、なるべく早く教師に知らせる。命名のときなど、教師を招き、幼な子のために祝福の祈りをささげてもらうとよい。

3　結婚

結婚は男女の協力によって、その生活をもって神の栄光をあらわすものである。結婚は人生の大事である。人の幸福に深い関係があるから、それにはまず教師の助言を受け、両親は言うまでもなく、信仰の友人などに相談して事を運び、すべての人から祝福を受けて、めでたく挙式に至るようでありたい。

結婚相手の選択条件として、人物、性格、健康、趣味、経済など、一般的にお互いに考慮しなければならないことが多いが、一生をかけて家庭を共に建設してゆくのであるから、信仰と真実の愛と責任感の有無が、根本的な条件となるのである。しかし相手がもし未信者である場合は、信仰に理解を持ち近く信徒となり得る人を選ぶようにしたい。

結婚には当然、性愛などの問題がつきまとっている。しかし、神の深い恵みはきわめて人間的な営みの中にも満ちている。結婚前の節制、結婚生活の中での変わることのない愛と真実・節操を貫くことが神のみ心にかなう道である。

性愛は人間として、自然のことであり、子孫を残し、健全な家庭生活を形成するために果たす役割は大きい。性愛を無責任な享楽の手段としてはならない。結婚生活の中で、夫も妻も、常に人格的交わりの完成を目ざして、性愛もまた、神の賜物の一つとして受けとめたい。

したがってだれでも純潔を守らねばならない。

(1)婚約式　結婚までにしばらくの期間がある場合は、婚約式を挙げることがよい。当人同士のためにも、周囲の人のためにも、理解と準備のためになる。式はできるだけ教会堂において行ない、やむを得ない場合は家庭または他の場所でする。司式は教師に依頼する。当事者の他に家族、親戚、知友の列席はごく少数にとどめてよい。このとき、指輪を交換するかしないかは自由である。

結納については、わが国で、従来行なわれているようなことは必ずしも必要としない。聖書や讃美歌を贈り合うだけでもよい。婚約式を結婚式と混同してはならない。当事者は清い交際をし、人々の誤解や非難を受けないようにして結婚式に備えたい。

(2) 結婚式

① 信徒の結婚式は教師に司式を依頼し、やむを得ない場合の他は教会堂において行なう。相手が信徒でない場合も、教師による挙式を真心をもって周囲の人に説得することが大切である。

② 挙式については、当事者は、教師に申し出て日取りなどを決める。

③ 式の順序を覚えるため、式の予習をしておくことも大切である。当日の衣装や式後の披露などは、できるだけ簡素にする。

④ 式のとき、指輪の交換をするのが普通である。

なお新婚家庭はとかくいろいろの理由で教会生活から遠ざかることが多い。夫婦は互いに励まし合って、教会生活を守ることが肝要である。

毎年、結婚記念日にはこれをおぼえて神に感謝し、新たに祝福を祈りたい。

4 病気・死

キリスト者にとって肉体は「義のための道具」（ローマ6・13）であり、「聖霊が宿ってくださる神殿」（コリントI 6・19）である。信徒は魂のことを重んずるあまり、肉体を粗末にするようなことがあってはならない。信徒は家庭の衛生に注意し、家族の人々はいつも健康に輝いていたい。

家族に病人がでたときは、当人は言うまでもなく家族の者は早く全快するように祈り、心を合わせて看護すると同時に専門医に見せて医薬をも用いる。もし病気が長びく場合は医療に心を用いるとともに、病人の信仰についても考慮をはらい、なるべく早く教師に知らせることが望ましい。

病が重くなったときは、教師に知らせ、祈ってもらうとよい。

死はすべての人の避けることのできないものである。「人間にはただ一度死ぬことと、その後に裁きを受けることが定まっている」（ヘブライ9・27）とあるとおりである。肉体の死は地上における労苦を休ませる神の摂理でもある。

5 葬儀

葬儀は死者への礼拝ではない。死去した者への神の恵みと、また、その摂理を思い、残された者として、みずからの信仰をかえりみて、神の栄光を仰ぐことである（テサロニケⅠ4・13―18、詩編39、77編）。

(1)死去直後　信徒が死去したとき、家族は、まず教師と役員に至急通知する。そして遺体の清拭や着替え等の処置がなされたのち、遺体は葬儀の時まで自宅・教会もしくは葬儀社等しかるべき場所に安置する。そののち、家族は教師・役員（葬儀担当委員）と葬儀社も交えて葬儀について日取り・会場・式次第・費用等について相談し、式に向けて準備をなす。

(2)納棺式　遺骸は納棺式前、または式中に納棺し、胸から上は清らかな花をもってよそおう。棺の上に黒い棺掛けをかけ（あるいは棺の外部に黒布を張り、その上に黒い棺掛けをかけ）、棺の上に生花の十字架または花環をのせるのもよい。（遺骸のまくらもとに小刀を置いたり、棺の中につえやぞうりを入れたり、棺のふたの釘を石でたたいたりしないほうがよい。異教の風習にならう必要はない。）納棺式は普通教師が司式する。

(3)前夜式　これは葬式の前夜に行なう式で、場合によっては死去の夜または火葬の前夜に行なってもよい。あるいは納棺式を兼ねて行なう。お通夜と称して徹夜することは随意であるが、必ずしもその必要はない。

(4)出棺式　葬儀の式場へ出発する前に、棺前で行なう場合がある。教師または教会役員が司式する。讃美歌、聖書朗読、祈り、などでよい。
（遺骨をもって葬儀をいとなむ場合もすべて同じ）

(5)**葬式**　葬式は教師の指示に従って執り行う。葬儀は荘厳静粛の中に行なわれるよう、十分、心を配ること。式は丁重であってしかも冗長にならないようにかつ簡素にする。弔辞を述べるときには、遺族の前に立って述べ、死者に対しての呼びかけでなく、死者を追悼(ついとう)し、遺族への慰めとすることを心がけたい。

火葬場または墓地では、火葬または埋葬に先立ち、教師により厳粛簡潔に式を行なう。

葬儀後は、遺骨を床の間または適当な場所に置き、写真を置くのもよい。

(6)**記念会**　キリスト者の家庭では、家族の死去したとき、適宜に記念会を行なう。その際には教師に相談するのもよい。

6　家庭の諸行事

信徒の家庭は、理想は高く、その生活は、なるべく単純化したほうがよい。家族が増え、年月を重ねるにつれて、さまざまの行事が必要になってくることはやむを得ない。しかし家庭の行事にもますます信仰の要素を加えることを心がけたい。一般社会の風習に軽々しくならうことは愚かなことである。それがまた信仰の破綻(はたん)をきたす原因となることがある。教師は医者や弁護士と同様に個人の秘密を厳守するものであるから、すべては教師に、遠慮なく安心して相談し、その指導を受けることが望ましい。

(1) 教会との連絡　信徒の家庭は教会の小枝である。家庭と教会との間には、たえず連絡がなければならない。常に、教会生活に忠実でありたい。事情のゆるす限り、教会の求道者会、聖書研究会、最寄(もより)会その他の集会のために、家庭を提供するようにしたいものである。

家庭を開放して集会を開くときは、必ず、所属教会の教師の出席を請うか、あるいは了解を得るようにすべきである。

(2) 建築の祈りと感謝

① 定礎(起工)式　信徒は、家屋その他建物を新築する場合、教師に請うて定礎(起工)式を行なう。讃美歌を歌い、聖書を朗読し、式中に礎石を打ち込む

とき、神の恵みを祈り、工事および将来のために祝福を祈るとよい。礎石の下に建築の年月日を示す記録、聖書などを埋めるのも意義があろう。聖書朗読は詩編24、127編、マタイによる福音書7章24、25節などが適当であろう。

②　上棟式　定礎式に準じて行なう。聖書朗読は、詩編127、128編などがよいであろう。

③　落成感謝会　新築が成り、あと片づけが終わったのち、日を選び、教師、信仰の友、その他関係者を招いて、喜びをわかち感謝を共にし新居のために祝福を祈る、落成感謝会を開く。聖書朗読は詩編84、128編などがよい。

(3)入学・卒業感謝会　子どもが入学し、卒業または上級学校に進んだときに、家族でそれを祝い、神の祝福を祈るために、入学・卒業感謝会を開くことは、子どもにとっても喜ばしいことであり、意義深いことである。

(4)その他　誕生、洗礼、結婚などの記念日、就職、病気全快、新増築、移転、その他の場合に、これらを記念する行事が行なわれる。その折、食事、接待などのことに心を労し過ぎないようにし、むしろこれらのことの中に、霊的意義を学んで、感謝、祈祷、決意の機会としたいものである。

これらの記念行事が、隣家、隣人、友人、親戚への伝道の集会にもなるならばいっそう意義深いものになる。

三　社会人として

キリスト者にとっては、「交わり」が大切であり、信仰生活は、教会生活であるとともに、社会生活の中で実現される。教会と社会は、それぞれ違った生活分野であるが、お互いに生かし合う関係にある。社会はそこに「ある」のではない。社会はそこに「成る」のである。社会は「交わり」において刻々に「成る」のであって、しばらくの時も固定しているものではない。教会の交わりは、社会の交わりを正しく成立させる。市民共同体である社会と信仰共同体である教会は、中心を共通にしている。イエス・キリストが共通の中心である。社会を真の社会とするために、その中心に立てられたのが、信仰共同体としての教会である。真のキリスト者は、信仰による人格的交わりの具体的な場として教会に生き、その教会をより純粋にキリストの体とすることを通して、社会を真の社会とするのである。御言葉が肉体となって、恵みと真理が示されるように、信仰は教会の交わりに生かされてはじめて正しくあるし、教会は、社会に仕えてこそ、キリストの体と言うことができる。キリスト者が世の光、地の塩と言われるのは（マタイ5・13、14）このことである。

社会を真の社会とするためにキリスト者は何をなすべきであろうか。聖書は少なくとも三つの点を示している。

1　生命尊重

人の生命は、全世界より尊い。キリストは、わたしたちに「生命」を与えるために来られた。生命軽視の社会は神に反する社会である。どのような人の生命も平等に重んじられるところに真の社会が成立する。戦争も、過度の享楽も、その他すべて自他の生命を損なうことは反社会的であり、神に反することである。キリスト者は、平和活動者であり、生の畏敬者である。

2　人権尊重

「この最も小さい者の一人」を重んじるということは、聖書中で一貫したキリストの教えである。徴税人、罪人、娼婦、病人、体の不自由な人、貧しい人、幼い人や高齢の人を、主は特に愛された。不当な裁判、抑圧、虐待などを認める社会は、神に反する社会である。男女、親子、雇い主と被雇用者等の間に差別があってはならない。どのような人の人格も平等に重んじられるところに、真の社会が成立する。キリスト者は人権擁護者である。

3　自由尊重

キリストは自由を与えるためにわたしたちを召された。みずからは捕えられ、十字架にかけられて、わたしたちに自由を与えられた。罪からの自由を根本として、世のいっさいの不正な抑圧から人間を解放するところに福音がある。自由が、どのような人にも平等に保障される社会こそ、真の社会である。キリスト者は、人間解放者である。

政治、経済、文化、その他いっさいの人間関係の根底に、この生命尊重、人権尊重、自由尊重が平等に保障されるところに、人間の交わり、つまり社会が成立する。それが神の意志される社会である。

神がキリスト者を召されたのは、賜物（たまもの）や環境の違いを越えて、新しい生命を与え、自由を与えるためであった。わたしたちは、この恩寵（おんちょう）に立ち、新生と自由とを賜わった者として、相互の人格を尊重し、愛をもって仕え合うことを求められている。

キリスト者は、どのような社会的行動の方向を示されているだろうか。

① キリスト者が政治的責任に目覚めなければ、国家の政治権力は神の意志としての、正義の擁護者、遂行者である地位から逸脱して、自己目的的となり、生命、人権、自由の否定者となる危険にさらされる。精神主義過剰に陥ることなく、政治的自覚によって社会を改める責任の範囲が、時代と共に広くなってきていることをおぼえたい。

② 経済が政治や文化に及ぼす力を軽視することは許されない。生命、人権、自由を奪うような経済のありかたは改められねばならない。

③　国家の意志は国民が決定すべきであるから、平和を守る方向に世論を形成することはキリスト者の任務である。ことに、生命と人権と自由とを尊重するキリスト者は、何よりもまず、「平和を実現する人々」（マタイ5・9）となるよう心がけたい。

④　教育、学問、文学、美術、音楽、映画、その他文化のいっさいは、神の造られた人間の人格の向上と、自由の拡大のために資するものでありたい。

⑤　社会を聖意（みこころ）に即して革新する不断の努力とともに、必要なことは、現に今、助けを必要としている人のために活動することである。社会福祉の増進に、災害に苦しむ人の救援に、力を尽くして奉仕することである。人の痛みを自分の痛みとして背負うことである。よきサマリア人として（ルカ10・25―37）、その隣人となることこそ、キリスト者の愛である。

神を畏れるということが、キリスト者の社会生活の根底である。生命・人権の自由といっても、人間関係を真に成り立たせる、神の主権を思い、神を畏れることを基礎とするのである。

四　世界市民として

キリスト者は、神が世界の創造者であると信じ、神の導きによって「天にあるものも地にあるものもキリストのもとに一つにまとめられます」（エフェソ1・10）との希望を持っている。したがって、全世界が神の創造の秩序のもとに、共に生きるように、関心と責任を持つのである。

世界は今日、通信や交通、産業、経済、生活の各方面で密接に結びつき、地球化の時代を迎えた。それとともに、国際的な規模で貧富の差が拡大し、地球規模で資源の浪費と枯渇や、環境汚染が問題になっている。キリスト者は世界市民として、国や民族の枠を越えて、隣人と共に生き、共に課題を担うことが求められている。

1　正義

「主が何をお前に求めておられるかは、お前に告げられている。正義を行い、慈しみを愛し、へりくだって神と共に歩むこと、これである」（ミカ書6・8）。隣人と共に歩む愛は、社会的な次元では正義の実現という形をとる。自国や自民族の発展や繁栄が、他国や他民族の犠牲の上に築かれていはしないか。社会の中で、人種差別、性差別、部落差別、障がい者差別などが放置されていないか。「正義を洪水のように、恵みの業を大河のように、尽きることなく流れさせよ」（アモス書5・24）。

2 平和

東西冷戦体制が終わって、世界大戦の緊張は軽減されたが、民族間の対立や紛争などの抑止がきかなくなり、テロや集団間の憎悪や武力紛争は今も深刻である。宗教的対立がその原因であると指摘されたりしている面もある。「平和を実現する」（マタイ5・9）ための祈りと働きが求められる。

3 被造世界の共生

地球環境の破壊や汚染は、神の創造の恵みを、人間が物質的生活の豊かさと経済的利益を過剰に追求することによって、再生不能の状態にした結果である。人間間のエゴイズムだけでなく、被造物仲間（人間以外の生物、また非生物をも含めて）に対する人間のエゴイズムに気づき、生きとし生けるものとの共生、また被造世界の保全が真剣に求められている。

4　国際化社会のパートナー

教会は世界において、ひとりの主に導かれる一つの民として、エキュメニカルな交わりを深め、国際社会のよいパートナーであり責任ある一員として歩むように召されている。わたしたちもその自覚をもって歩みたいものである。

第三章　教会暦

一年という期間はわたしたちの生活の上できわめて重要な単位となっている。ほとんどのものが十二か月ごとに更新されてゆく生活の中で、教会の生活もまた、季節ごとに一つのリズムをもって、できるだけ生き生きと進めたいというのは自然の要求である。

教会暦はイエス・キリストのご生涯を中心として、季節ごとに信仰を新たにするために定められたものである。

1　待降節（アドベント）

これは十二月二十五日の前にくる四つの主日を含む期間で、教会のこよみはその第一主日から始まる。主のご降誕を迎える準備期間であって、アドベントというのは「来臨」を意味する。

ろが多い。

2　降誕日（クリスマス）

十二月二十五日。教会ではこの日に最も近い主日にクリスマス礼拝を守るところが多い。

3　公現日（エピファニー）

一月六日。マタイによる福音書によって伝えられている異邦の占星術の学者たちの来訪を思い、主の栄光が全世界にあらわれたことを喜ぶ日である。

4　四旬節（受難節・レント）

復活日より、主日を除き四〇日前の水曜日（灰の水曜日）からはじまり、復活日の前日までを四旬節という。一年間の約十分の一にあたるこの期間を神にまったくささげ、主のご受難を思いつつ、克己の生活を送る。

5　受難週

四旬節の最後の一週間。主日はキリストのエルサレム入城を記念した棕梠（しゅろ）の主日、木曜日は最後の晩餐（ばんさん）の日である洗足木曜日、金曜日はキリストが十字架にかけられた受難日として守られる。

6　復活日（イースター）

紀元三二五年以来、春分の後の最初の満月直後の主日と定められ、今日に及んでいる。主日礼拝の他に、キリストの復活を記念した特別の集会が持たれる場合もある。

7　聖霊降臨日（ペンテコステ）

復活後四〇日を経てキリストが昇天されたことを記念して昇天日（復活日後第五主日の週の木曜日）があり、さらに一〇日後、すなわち、復活日から五〇日目の主日を聖霊降臨日としている。この日は、聖霊がくだって教会が誕生した記念日である。

8　三位一体主日

聖霊降臨日の次の主日。父、子、聖霊なる神の働きのもとに、日々の教会生活を前進させる祈りがささげられ、これから二三ないし二七の主日が続く。この期間は聖霊降臨節と呼ばれている。そして、再び待降節を迎えることになる。

以上のような特定日や期間をくり返し守ることによって、信徒の訓練が行なわれ、教会が前進する。

教会暦とともに、わたしたちの教会にはいくつかの行事がある。新年礼拝、年頭祈祷会、母の日、花の日、教団創立記念日（六月二十四日）、平和聖日、振起日、教育週間、世界聖餐日、伝道献身者奨励日、信徒伝道週間、宗教改革記念日（十月三十一日）、聖徒の日（十一月第一主日）、収穫感謝日、謝恩日、社会事業奨励日等、行事は多い。これらもまた、教会生活の中で信徒としての自覚を高め、共に福音宣教のために励む力の結集の原動力となっている。

教憲

神は万国万民のうちからキリストに在って聖意に適う者等を召して、これを聖別し、恩寵と真理とをあらわして、聖霊による交わりに与らしめたもう。これがすなわち聖なる公同教会である。

この教会は見えない教会として存在するとともに、また見える教会として現存し、主イエス・キリストをその隅の首石とし、使徒と預言者との基の上に建てられ、代々主の恩寵と真理とを継承して、福音を宣べ伝え、聖礼典を守って、主の来りたもうことを待ち望み、その聖旨を成しとげることを志すものである。

わが国における三十余派の福音主義教会およびその他の伝統をもつ教会は、それぞれ分立して存在していたが、一九四一年（昭和十六年）六月二十四日くすしき摂理のもとに御霊のたもう一致によって、おのおのその歴史的特質を尊重しつつ聖なる公同教会の交わりに入るに至った。かくして成立したのが日本基督教団である。

第一条　本教団はイエス・キリストを首（かしら）と仰ぐ公同教会であって、本教団の定める信仰告白を奉じ、教憲および教規の定めるところにしたがって、主の体たる公同教会の権能を行使し、その存立の使命を達成することをもって本旨とする。

第二条　本教団の信仰告白は、旧新約聖書に基づき、基本信条および福音的信仰告白に準拠して、一九五四年（昭和二十九年）十月二十六日第八回教団総会において制定されたものである。

第三条　削除

第四条　本教団は教憲および教規の定めるところにしたがって、会議制によりその政治を行う。

第五条　本教団は教団総会をもってその最高の政治機関とする。

本教団の教会的機能および教務は教団総会の決議ならびに教憲および教規の定めるところにしたがって、教団総会議長がこれを総括する。

第六条　本教団はその教会的機能および教務を遂行するために教区を置く。

教区は本教団所属教会の地域的共同体であって、教区総会をもってその最高の政治機関とする。

前々項の教会的機能および教務は教区総会の決議ならびに教憲および教規の定めるところにしたがって、教区総会議長がこれを総括する。

第七条　本教団の所属教会は、本教団の信仰告白を奉じる者の団体であって、教会総会をもってその最高の政治機関とする。

教会の教会的機能および教務は教会総会の決議ならびに教憲および教規の定めるところにしたがって教会総会議長がこれを総括する。

教会総会の議長は教会担任教師がこれにあたる。

第八条　教会は主の日毎に礼拝を守り、時を定めて聖礼典を執行する。

礼拝は讃美・聖書朗読・説教・祈禱および献金等とする。

聖礼典はバプテスマおよび聖餐であって、按手礼を領した教師がこれをつかさどる。

第九条　本教団の教師は、神に召され正規の手続きを経て献身した者とする。

教師はこれをわけて、正教師および補教師とする。

正教師は按手礼を領した者、補教師は伝道の准允を受けた者とする。

第十条　本教団の信徒は、バプテスマを受けて教会に加えられた者とする。

第十条の二　本教団の教会役員は、教会総会において選ばれた者とする。

第十一条　本教憲を施行するに必要な規定は、教規によってこれを定める。

前項の教規は教団総会において、出席議員三分の二以上の同意をもってこれを定めるものとする。

補　則

第十二条　本教憲は、教団総会開会三箇月前に議案を公表し、教団総会において議員総数の三分の二以上が出席し、出席議員三分の二以上の同意を得なければ、これを変更することができない。

（一九四六年十月十六日　第四回教団総会制定
一九四八年十月二十八日　第五回教団総会変更
一九五六年十月二十四日　第九回教団総会変更
一九六二年十月二十五日　第十二回教団総会変更
一九九四年十一月十七日　第二十九回教団総会変更）

日本基督教団成立の沿革

わが国における福音主義のキリスト教は、一八五九年（安政六年）に渡来した外国宣教師の宣教にその端を発し、一八七二年（明治五年）二月二日（旧暦）横浜に最初の教会として、日本基督公会が設立された。この教会は外国のいずれの教派にも所属しない超教派的な教会であったが、その後欧米教会諸派が移植せられ、その宣教が国内全般に発展するにともなって、教派の数もとみに増加するようになった。これと共に他方各派の間にしばしば合同の議が生じ、海外における教会合同運動の刺激もあって、ついに全福音主義教会合同の機が熟するに至り、たまたま宗教団体法の実施せられるに際し、一九四〇年（昭和十五年）十月十七日東京に開かれた全国信徒大会は、教会合同を宣言するに至った。これに基づいて三十余派の福音主義教会が、翌一九四一年（昭和十六年）六月二十四日および二十五日の両日富士見町教会に開かれた創立総会において、次のような教義の大要のもとに合同を実現し、ここに本教団は成立したのである。

「イエス・キリストに由りて啓示せられ聖書に於て証せられる父、子、御霊なる三位一体の神は世の罪と其の救の為め人となり死にて甦へり給へる御子の贖に因り信ずる者の罪を赦して之を義とし之を潔め永遠の生命を与へ給ふ
教会はキリストの体にして恩寵に依りて召されたる者礼拝を守り福音を宣伝へ聖礼典を行ひ主の来り給ふを待ち望むものなり」

その後宗教団体法の廃止にともない教団機構に改正の議が起り、一九四六年（昭和二十一年）十月十六日新たに教憲を制定して自主的に公同教会たることを明かにした。さらに一九四八年（昭和二十三年）十月二十七日教憲を改正して、使徒信条を告白することを決定したが、ついに一九五四年（昭和二十九年）十月二十六日本教団としての信仰告白を制定するに至った。かくて創立以来くすしき摂理のもとに御霊のたもう一致により堅実な教会形成の努力を続けて来た本教団は、ここに公同教会としての一体性を確立するに至ったのである。

（一九五六年十月二十六日第九回教団総会制定
一九六八年十月二十四日第十五回教団総会標題変更）

545年頃　第2イザヤ、活動を始める
539年　キュロスのバビロン征服および捕囚釈放布告
520年以後　ハガイ、ゼカリヤ活動
515年　第2神殿成る
445年　ネヘミヤ帰国、エルサレムの城壁修理
397年　エズラ帰国
331年　アレクサンドロス大王ペルシア征服、ペルシア滅亡
63年　ローマの将ポンペイウス、ユダヤ支配

(新約歴史年表)
キリスト紀元前
6年頃　イエス誕生
4年　ヘロデ大王死す
キリスト紀元
6年　ユダヤ地方、ローマの直接支配に入る
28年頃？　洗礼者ヨハネの活動、イエスの神の国運動の開始
30年頃　イエス、ポンティオ・ピラトのもとで十字架刑
32年頃　ステファノの殉教
33年頃　パウロの回心、召命
42/43年頃　ゼベダイの子ヤコブの殉教
47年頃から　パウロの伝道旅行開始
48年頃　エルサレム会議
50年頃から　パウロ書簡執筆始まる
51年頃　第一テサロニケ
53-55年頃　第一コリント、ガラテヤ、フィリピ、フィレモン、第二コリント
55-56年頃　ローマ書
58-60年頃　パウロ、ローマに護送
62年　主の兄弟ヤコブ殉教
64年頃　ペトロ、パウロ　ローマで殉教？
66-70年（-73年）　第一次ユダヤ戦争
70年　エルサレム神殿炎上
70年前後　マルコ福音書
80-90年代　マタイ、ルカ福音書、使徒言行録
コロサイ、エフェソ、第二テサロニケ、第一ペトロ、ヤコブ、ヘブライ、ヨハネ黙示録
100年前後　ヨハネ福音書
100-130年頃　ユダ、第二ペトロ、牧会書簡（第一テモテ、第二テモテ、テトス）
第一ヨハネ、第二ヨハネ、第三ヨハネ

聖書歴史年表

キリスト紀元前（旧約歴史年表）

2000-1700年	族長時代
1700年頃	ヤコブ一族エジプト移住
1290年以後	モーセとエジプト脱出
1250-1200年	カナン占領主要段階
1200-1020年	士師時代
1020-1000年	サウルとイスラエル王国創設
1000- 961年	ダビデ治世
961- 922年	ソロモン治世、神殿起工（958）

イスラエル（北王国）の王		預言者	ユダ（南王国）の王		預言者
ヤロブアム1世	922		レハブアム	922	
ナダブ	901		アビヤム（アビヤ）	915	
バシャ	900		アサ	913	
エラ	877		ヨシャファト	873	
ジムリ	876		ヨラム	849	
オムリ	876		アハズヤ	842	
アハブ	869	エリヤ	アタルヤ	842	
アハズヤ	850	エリヤ	ヨアシュ	837	
ヨラム	849	エリシャ	アマツヤ	800	
イエフ	842	エリシャ	ウジヤ（アザルヤ）	783	
ヨアハズ	815	エリシャ	ヨタム（摂政と王）	750	イザヤ
ヨアシュ	801	エリシャ	アハズ	735	イザヤ
ヤロブアム2世	786	アモス	ヒゼキヤ	715	イザヤ、ミカ
ゼカルヤ	746	ホセア	マナセ	687	イザヤ、ミカ
シャルム	745	ホセア	アモン	642	
メナヘム	745	ホセア	ヨシヤ	640	エレミヤ
ペカフヤ	738	ホセア	ヨアハズ	609	エレミヤ
ペカ	737	ホセア	ヨヤキム	609	エレミヤ
ホシェア	732	ホセア	ヨヤキン	598	エレミヤ、エゼキエル
サマリア陥落	721		ゼデキヤ	597	エレミヤ、エゼキエル
			エルサレム陥落	587	エレミヤ、エゼキエル

（年号は即位の年、下線は王朝の交替期をあらわす）

622年	申命記法典の発見とヨシヤ王の宗教改革
598年	バビロンのネブカドネツァル第1回ユダ侵入
589-587年	同・第2回侵入とエルサレム陥落、ユダ王国滅亡、捕囚開始

あとがき

キリスト者は、主に召された神の民として、教会の活ける枝となり、世にあって地の塩、世の光として歩むようにと、恵みと使命が与えられています。そのような信徒の伴侶として、教会と家庭と社会における具体的な道しるべとなるようにとの願いをもって書かれたのが、本書です。一九五三年日本基督教団東京教区伝道委員会によって企画され、同年東京教区から編集出版され、全国的に用いられてきました。その後、改訂版（一九五六年）、新版（一九六〇年）、改訂新版（一九六六年）、新改訂版（一九九八年）と、折々の改訂によって、内容の改善につとめてきました。

この度、日本基督教団東京教区では『信徒必携』の版を改めることとなり、この機会に全体的な見直しをすることが第七五総会期第一回常置委員会において決定され、『信徒必携』改訂委員会が組織されました。当委員会は改訂作業をするにあたり、基本的にはこれまでの叙述内容を大きく改めることはせず、時代の推移により実情にそぐわなくなった部分を今日の状況に沿った形にし、読みやすい表記に改めることとしました。これまで長く愛用されてきた本書の中味や語調をできるだけ残そうと考えたからです。委員会はかなり長い期間にわたり回を重ねて内容の見直しをしてきましたが、なお不十分な点があればご指導頂き、さらに将来に備えたいと思います。『信徒必携』がこれからも多くの教会で用いられ、宣教の業に役立てて頂けるならまことに幸いです。

本書の編集は、以下の者が担当しました。〈原版〉藤田昌直、森政雄、倉田俊丸、白井慶吉、泉田精一、加藤邦雄、福田正俊、宮内彰、島村亀鶴、武藤健、岡田実。〈改訂版〉藤田昌直、宮内彰、加藤邦雄。〈新版〉藤田昌直、木村知己、津田正則、小川貞昭、東方信吉、滝沢陽一、都留忠明、秋山晴雄、友野喬介、ゴルドン・チャップマン。〈改訂新版〉小川貞昭、甲原一、奥興、福島勲、奥山作市、津田正則、渡辺正、小野一郎、馬朝茂、瀬川和雄。〈新改訂版〉大宮溥（委員長）、長山信夫（書記）、小林有、飯坂良明、林博。今回の改訂は、木下宣世（委員長）、伊藤英志（書記）、長山信夫、中村公一、大友英樹、朝岡瑞子、物井惠一が担当

しました。また今回の出版にあたっては、日本基督教団出版局に多くの労を頂いたことに感謝します。

二〇二〇年一〇月二七日

日本基督教団東京教区

バプテスマ受領証

氏　名

年　　月　　日生

現住所

上記の者は当教会においてバプテスマを受領／信仰を告白し、当教会の教会員であることを証明します。

年　　月　　日

日本基督教団　　　　　　　　教会

牧師　　　　　　　　　　　㊞

所在地

電話

<table>
<tr><td rowspan="3">バプテスマ受領</td><td>司式者氏名</td><td></td></tr>
<tr><td>場　　所</td><td></td></tr>
<tr><td>日　　付</td><td>年　　月　　日</td></tr>
<tr><td rowspan="3">信仰告白</td><td>司式者氏名</td><td></td></tr>
<tr><td>場　　所</td><td></td></tr>
<tr><td>日　　付</td><td>年　　月　　日</td></tr>
<tr><td colspan="2">入 会 日 付</td><td>年　　月　　日</td></tr>
</table>

教 会 員 証

氏　名

年　　月　　日 生

現住所

上記の者は　　　　年　　月　　日　　　　教会より

転入し、当教会の教会員であることを証明します。

年　　月　　日

日本基督教団　　　　　　　　教会

牧師　　　　　　　　　　　㊞

所在地

電話

転出教会	教 団 名	
	教 会 名	
	所 在 地	

教 会 員 証

氏　名

年　　月　　日 生

現住所

上記の者は　　　　年　　　月　　　日　　　　　教会より

転入し、当教会の教会員であることを証明します。

年　　月　　日

日本基督教団　　　　　　　　教会

牧師　　　　　　　　　　　㊞

所在地

電話

転出教会	教 団 名	
	教 会 名	
	所 在 地	

装丁・堀木一男

信徒必携 改訂更新版

1953年 9月25日 初版発行
1959年 7月10日 改訂6版発行
1965年 5月 1日 新版7版発行
1980年 6月25日 改訂新版15版発行
2016年 1月15日 新改訂版33版発行
2020年11月25日 改訂更新版初版発行
2024年10月25日 改訂更新版2版発行

編集者 日本基督教団東京教区

発行所 日本キリスト教団出版局

〒169-0051 東京都新宿区西早稲田2丁目3の18
電話・営業 03(3204)0422、編集 03 (3204) 0424
https://bp-uccj.jp
印刷所 三秀舎

ISBN978-4-8184-1073-2 C0016 日キ版
Printed in Japan